JN214516
青山剛昌
名探偵コナン
ハロウィンの花嫁
The Bride of Halloween

結婚式に現れたのは⁉

厳かな雰囲気の中
誓いを立てる二人…‼

そこへ押しかけた
大勢の暴漢…
佐藤刑事をかばった
高木刑事は⁉

「高木君を
連れていこうとする
……死神よ」

脱獄犯を追う
安室の目の前で
犯人が爆発!?

死神の格好をした
爆弾魔の目的とは!?

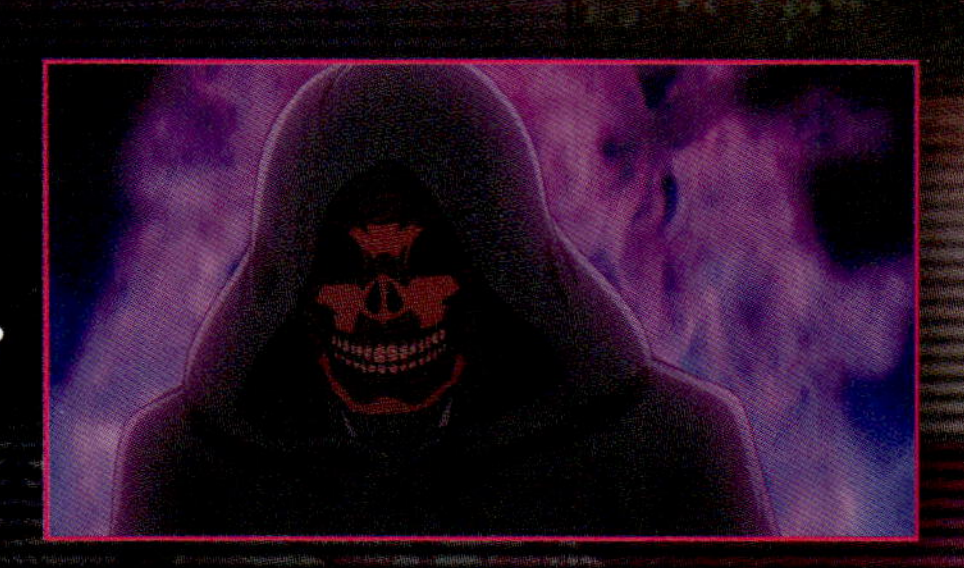

事件との関連性とは!?

三年前、警察学校の同期が
墓参りに集まったその日、
四人が遭遇したのは…

爆弾の解除は
松田刑事に託された…

首輪爆弾と三年前の

仲間との約束を
果たすため…

身動きの取れない安室は
コナンにすべてを託す……

「君はいったい 何者なんだい?」

爆弾と共に閉じ込められた
コナンは決死の脱出!!

捜査中に拉致された
千葉刑事を助けるため

松田刑事に扮する
高木刑事…

入り乱れる思惑…

待ち受けていたのは
覆面をかぶった謎の集団…

「爆弾の構造を
私達に教えて――」

爆弾犯から渋谷の街を
守ることができるのか!?

CHARACTERS
江戸川コナン
(工藤新一)
Conan Edogawa
安室 透
(降谷 零)
Tōru Amuro
高木 渉
Wataru Takagi
佐藤美和子
Miwako Satō
円谷光彦
Mitsuhiko Tsuburaya
小嶋元太
Genta Kojima
毛利 蘭
Ran Mōri
吉田歩美
Ayumi Yoshida

名探偵コナン
ハロウィンの花嫁

水稀しま／著
青山剛昌／原作
大倉崇裕／脚本

★小学館ジュニア文庫★

オレは高校生探偵、工藤新一。

幼なじみで同級生の毛利蘭と遊園地に遊びに行って、黒ずくめの男の怪しげな取り引き現場を目撃した。

取り引きを見るのに夢中になっていたオレは、背後から近づいてくるもう一人の仲間に気づかなかった。オレはその男に毒薬を飲まされ、目が覚めたら——体が縮んで子供の姿になっていた!!

工藤新一が生きていると奴らにバレたら、また命を狙われ、周りの人間にも危害が及ぶ。

だからオレは阿笠博士の助言で正体を隠すことにした。

蘭に名前を訊かれてとっさに『江戸川コナン』と名乗り、奴らの情報をつかむために、父親が探偵をやっている蘭の家に転がり込んだ。

小さくなった今のオレの同級生——小嶋元太、円谷光彦、吉田歩美、それに、灰原哀。

彼女は黒ずくめの組織の科学者で、オレが飲まされた毒薬『アポトキシン4869』の開発者。だが、姉を組織に殺されたことから、組織に反抗。命を絶つため、その薬を飲んだところ、体が縮んでしまった。今は奴らの目を逃れるため、阿笠博士の家に住んでいる。

その黒ずくめの組織のメンバーの一人が——安室透。
だがその正体は、公安警察を指揮する警察庁警備局の秘密組織『ゼロ』に所属する警察官で、本名は降谷零。組織の内情を探るべく潜入中。佐藤美和子警部補の一期前に警察学校を卒業した生徒で、ヤンチャな仲間があと四人いたらしい……。

小さくなっても頭脳は同じ。迷宮なしの名探偵。真実はいつも一つ！

1

東京・渋谷――。

渋谷駅東口に直結する複合商業施設『渋谷ヒカリエ』の上層階にあるチャペル。

メガネと立派な髭を生やした神父が立つ祭壇の奥は、一面ガラス張りになっていた。あいにくの雨で、景色はよく見えない。神父の前には、髪をオールバックにしたタキシード姿の高木渉巡査部長が、緊張した面持ちで正面の扉を見つめていた。

参列席には白鳥任三郎警部や千葉和伸刑事など警察官の顔ぶれが並ぶ中、コナン、毛利蘭、毛利小五郎、そして少年探偵団のメンバー達もワクワク顔で扉の方を向いている。

「いつかこんな日が来るとは思ってましたけど……」

コナン達の後ろの席に並ぶ円谷光彦が、カメラを構えながら小声でささやくと、

「ついにやったたね、高木刑事！」

隣の吉田歩美がコナンの方を振り返って両手をギュッと握る。

「でもよぉ、えらい急に決まったよなぁ」

小嶋元太のつぶやきに、コナンの隣に並ぶ灰原哀は小さくうなずいた。

元太の言うとおり、この結婚式はあまりにも急に決まって、コナン達も驚いたのだ。

その頃。とある立体駐車場にマツダRX－7が停まっていた。運転席には安室透、そして助手席に風見裕也が険しい顔で座っている。

「本当に来ますかね？」

風見がチラリと見ると、安室透は前を向いたまま言った。

「匿名のタレコミだ。望み薄かな」

「この男なんですよね？」

風見は持っていたタブレット端末の画面を人差し指でなぞった。『大観覧車で爆破テロ警察官一人死亡』という見出しの記事がスクロールされて、犯人の顔写真が表示される。

「降谷さんの同期を、その……」

黙っている安室を見て、風見は慌てて頭を下げた。

「すみません、余計なことを――」

「どうも引っかかるんだ」

「え？」

驚いた風見が頭を上げると、安室は風見のタブレットの画面をチラリと見た。

「爆弾の知識はともかく、脱走の計画を練り、実行するだけの力が、その男にあるとは思えなくてね」

「それって、つまり……」

風見がたずねようとしたとき、安室がふいに前を向いた。風見も前を向いてハッとする。息を切らした男が首元を押さえながら、車の前を横切っていくのが見えた。

チャペルの扉が開いた。

ウェディングドレスに身を包んだ佐藤美和子警部補が、モーニング姿の松本清長管理官と並び、二人そろってお辞儀をする。

歩美が「わぁ〜〜」と歓声を上げ、光彦も佐藤の花嫁姿に目を輝かせる。

「佐藤刑事、とってもキレイです！」

参列者が祝福の拍手で迎える中、佐藤の麗しいウェディングドレス姿を見た高木は、思わずゴクリと生唾を飲み込んだ。

コナンもいつもとは違う佐藤の美しい姿にうっとりした。隣で写真を撮っている蘭をチラリと見る。

（オレもいつか蘭と……）

コナンが蘭の花嫁姿を想像していると、蘭が視線に気づいて「ん？」と振り返った。

「どうかした？　コナン君」

「へっ!?　な、なんでもないよ！」

慌てて両手を振ってごまかすコナンに、拍手をしていた灰原がジト目を向ける。さらに鈴木園子が動揺するコナンをからかった。

「このガキんちょ、蘭を嫁にしたいとか思ってるんじゃないのぉ？」

図星をさされて顔を背けるコナンの隣で、蘭は「まさかぁ！」と笑って受け流した。

(正解です……)

コナンは顔を真っ赤にしながら、心の中でつぶやいた。

男が走っていくのを確認した安室と風見は、車からすばやく降りて、男を追った。

男は足を緩めて周囲をキョロキョロと見回すと、やがて一台の車のドアの前で立ち止まった。大きく腕を振りかぶり、窓を叩き割ろうとする。ガン、ガン、と窓を叩く音が駐車場に響いた。

追いかけてきた安室と風見がやや離れたところで立ち止まると、男は振り返った。そして即座に逃げる。

立体駐車場のらせん状のスロープを駆け下りた男は、やがて壁際に追い詰められ、追ってきた安室達を振り返った。

風見は警察手帳を提示しながら、ゆっくりと右サイドから男に近づいていく。安室も左サイドから近づく。

「助けてくれ！」

男は首元を押さえていた右手を離して叫んだ。その首元を見て、安室は立ち止まった。

男の首元には銀色の太い首輪が巻かれていた。喉元あたりに透明のカプセルと小さなライトのようなものがついていて、緑色に光っている。

「なんだ、それは？」

風見が構わず近づいていくと、突然、首輪のランプが赤色に変わった。


松本管理官と共にバージンロードを歩いてきた佐藤は、祭壇の前で待つ高木の横に並んだ。二人と向かい合った神父が、高木の方を見る。

「高木渉さん。あなたは生涯、美和子さんを守り続け、笑顔を絶やさず、幸せにすることを誓いますか？」

「はい、誓います！」

高木がチャペル中に響くような大声で宣言すると、神父は佐藤の方を向いた。

「美和子さん。あなたはどのようなときも渉さんの支えとなり、生涯愛し続けることを誓いますか？」

高木はチラリと佐藤を見た。ウェディングベールに包まれた美和子の表情はわからない。まっすぐ前を向いた美和子は、小さく息を吸って、口を開く。

そのとき――バァァァン！　出入り口の扉が勢いよく開いた。

「美和子――!!」

開いた扉の先には、四人の男が立っていた。どの男も思い詰めた顔で、日本刀やナイフなど凶器を持っている。

「そんな奴と結婚するなら殺してやる!!」

男達はうおぉぉぉ!!　と祭壇の前に立つ佐藤を目がけて突っ込んできた。すると突然、神父が中折れハットをかぶり、左手で己の顔をつかんだ。髭とメガネがはぎ取られ、目暮十三警部の顔が現れる。

「確保ォ――!!」

目暮警部が叫ぶと、参列席にいた刑事達がわらわらと通路に出てきた。小五郎も我先にと飛び出し、突っ込んでくる男達の前に立ちはだかる。

「おっちゃん⁉」

コナン達が驚いていると、ナイフを持った男が小五郎に向かってきた。

「どけ！」

小五郎は男が振り回すナイフをすばやくよけて男の懐に飛び込み、胸倉をつかんで背負い投げした。すると、すぐそばで刑事達と暴漢がもみ合いになり、さらに加勢した刑事達がタックルしてきて、小五郎は押し倒された。

「イテテ……おい、バカ！」

刑事達の下敷きになった小五郎が叫ぶ。参列席にいたコナン達は、突然の出来事にあっけにとられていた。

「なんなんだよ、いったい⁉」

「確保ォ！」

「観念しろ！」

暴漢達に乗りかかった刑事達が叫ぶ中、暴漢の一人が刑事達の山の隙間から上半身を抜け出した。その手には拳銃が握られている。

「ヤベェ！」

コナンは長椅子の上に飛び上がり、どこでもボール射出ベルトを握った。そして靴に手を当ててハッと気づく。

今日はキック力増強シューズを履いていないのだ。

「しまった！　靴がちげえ……」

刑事達の山から上半身を抜け出した暴漢は、拳銃を祭壇に向けた。逃げようとしている佐藤達を狙う。

「くっ！」

拳銃に気づいた高木は、暴漢に向かって飛び出した。


「風見！　離れろ!!」

安室の声に、男に近づいていった風見は「え？」と振り返った。

「助けてくれ！」

男は風見に救いを求めるように手を伸ばして近づいた。首輪の透明カプセルから左右に伸びたチューブにはピンクの液体と水色の液体が入っていて、それぞれが喉元の透明カプセルへと流れていく。二液が透明カプセルで混じり合った瞬間、爆発が起きた。

すさまじい爆風が風見と安室を襲い、安室は受け身を取りながら地面を転がった。

「……大丈夫か、風——」

頭をもたげて風見を探すと、爆風に飛ばされた風見は立体駐車場のらせん状になっているスロープの端に乗り上げていた。気絶しているようで、その体はズルズルとスロープ壁の向こうへと落ちていく。

安室は起き上がり、走り寄って風見の足をつかんだ。宙ぶらりんになった風見からメガネが外れ、吸い込まれるように落下する。雨で濡れたコンクリートの地面までは十メートル以上あり、落ちたらまず助からない。

「風見……！」

上半身を壁に乗り上げ、片手で風見の足をつかんだ安室は、重さに耐えながら声をかけた。しかし、風見は万歳するように両手をだらりと地上に向けて垂らしたままぶら下がり、返事はない。

身動きが取れない安室の背後から、誰かが近づいてくる気配がした。

結婚式場に一発の銃声が響いた。

佐藤の前に飛び出した高木の左胸から、真っ赤な血が飛び散る。

「高木君……!!」

佐藤は崩れ落ちる高木をとっさに抱き止めた。ぐったりと首を垂れた高木の下から、みるみるうちに血が床に広がっていく。

「あ……あ……」

青ざめた佐藤がわなわなと震えていると、

「訓練終了ォォ――!!」

目暮の声が式場内に響き渡った。

「え？」

長椅子の上に立ったコナンをはじめ、子供達や蘭がぽかんとする。

「え、やられた？」

「マジかよ」

暴漢を取り押さえていた刑事達が次々と起き上がると、

「何をやっとるんだ！　新郎が撃たれたじゃないか！　警備態勢は見直しだ！」

目暮は叫びながら祭壇を下りていく。

倒れていた高木はムクリと起き上がった。

「あ～あ……ペイント弾の塗料って落ちないんですよねぇ」

赤い液体が飛び散ったタキシードに苦笑いすると、そのそばで佐藤は放心状態で床を見つめていた。

「どうしたんです？　佐藤さん」

「な、なんでもないわ」

声をかけられてハッと我に返った佐藤は、立ち上がってそそくさと歩いていく。

高木は不審に思いながら、佐藤の後ろ姿を見送った。

一部始終を目のあたりにしていた子供達は、わけがわからず困惑していた。

「いったいどういうことですか!?」

「ワケわかんねーよ」

「高木刑事と佐藤刑事の結婚式じゃなかったのー？」

問い詰められた目暮は「いやぁ、スマンスマン」と頭をかいた。

「本番さながらの訓練ということで、君達には何も知らせなかったんだよ」

「ええ〜〜〜!?」

子供達が驚きの声を上げる後ろで、コナンは（オイオイ……）と心の中で突っ込んだ。

「実は今度、村中努元警視正が結婚することになってな。結婚式の警備を我々と毛利君が担当することになったんだ」

目暮の言葉に、蘭は「え？」とスーツを整えている小五郎を振り返った。

「お父さん、知ってたの？」

「ああ、スマン」

コナンは小五郎が誰よりも先に暴漢の前に飛び出したことを思い出した。

(それでとっさに前に出られたのか……)

「村中元警視正は確か警部殿の同期でしたな？」

小五郎がたずねると、目暮は「ああ」とうなずいた。

「出世頭だったよ。数年前に大怪我をして退職したんだが、入院中の病院で運命の出会いがあったらしい。退職後は連絡もよこさず心配していたんだがな。正直驚いたよ」

目暮はそう言いながら、スマホに保存した村中の写真をコナン達に見せた。数年前の写真だろうか、丸刈りの村中が、ふざけて目暮の帽子を取ろうとしている。

「でも、どうして結婚式の警備を捜査一課がやるの？」

コナンの核心をついた質問に、目暮は眉根を寄せた。

「村中のところに脅迫状が来ているんだ。現役時代、彼は多くの犯罪者を逮捕した。いまだに恨んでいる者も多い」

「つまり、逆恨みってこと？」

「そう。だから警備させてくれとこちらから上層部に願い出たんだよ。我々は村中が逮捕した連中の顔を知っている。もしものときには対処できると思っていたんだがな」

会場内の様子を見て、目暮は小さく息をついた。新郎役の高木が撃たれてしまって、訓練は失敗に終わったわけだ。

渋い表情をした刑事達が集まって訓練の反省をする中、会場の隅で沈んでいる佐藤の姿があった。警察官の宮本由美が心配そうな顔で佐藤の手を握っている。

コナンは佐藤達に歩み寄った。

「どうしたの？　佐藤刑事」

「コナン君……なんでもないわ」

佐藤は目をそらしたが、すぐに苦笑いした。

「……と言っても、君はすぐ見抜いちゃうか」

そう言って、胸の塗料を布で落としている高木を見やる。

「さっき、高木君が倒れたとき……またアレが見えちゃったんだよね」

「アレ？　アレって？」

コナンに訊かれた佐藤は、さっき見えたものを思い浮かべた。

撃たれて血を流す高木の体から黒いもやのようなものが立ち昇り、やがてそれが人のような形になったかと思うと、大きな鎌を持った死神の姿になったのだ。

「高木君を連れていこうとする……死神よ」

安室の背後に誰かが立っていた。

気配に気づいた安室が振り返ると——それは死神だった。正確にいえば、死神のマスクとマントをかぶった人物だ。男か女かもわからない。

死神姿の人物と対峙した安室は、フッと微笑んだ。

「三年ぶりだな…やはりアンタだったか。奴を脱走させれば僕が出てくる。そういう読みだったんだろ？」

死神姿の人物は、首輪を持っていた。安室達が追っていた男がしていたのと同じ物だ。

首輪の正面が開き、その横には透明なカプセルがついている。

死神は安室にゆっくりと近づいた。風見の足をつかんでいる安室は動くことができない。

「プレゼントだ」

死神は首輪を安室の首に巻いた。

接合部がすぐにロックされ、正面のライトが緑色に光る。

「少し早いが、ハッピーハロウィン」

死神はそう言うと、安室の前から立ち去った。

「くっ……！」

首輪をつけられた安室は、宙ぶらりんになった風見を見た。壁をつかんでいた左手で風見の足をつかみ、両手で引っ張り上げる。なんとか風見を持ち上げると、その場に倒れ込んだ。肩で息をしながら、首元を見る。

安室の喉元で、首輪につけられた小さなライトが緑色に明滅していた。

2

ハロウィンを控えた渋谷駅の周辺は、すでにたくさんの飾りつけが施されていた。道沿いにはかぼちゃの形をしたランタン――ジャック・オ・ランタンがぶら下がり、街のあちこちに『HAPPY HALLOWEEN』の文字が浮かぶ。どの店もハロウィンのディスプレイに力を注ぎ、街はオレンジと黒のハロウィンカラーに彩られている。

そんなハロウィン一色の渋谷のスクランブル交差点では、大勢の人が信号待ちをしていた。その中で、一人の外国人男性が思い詰めた顔で、持っていた名刺を見つめる。

〝捜査一課強行犯三係　松田陣平〟

外国人男性は、名刺に書かれたローマ字の名前をつぶやいた。そのとき、もう片方の手で持っていたスマホが鳴った。メッセージの通知だ。

「マツダ……ジンペイ……」

スマホの画面には、ロシア語のメッセージが次々と表示された。

外国人男性は返信しようとスマホの画面に親指をかけた。が、その指が止まる。

信号が青に変わって周りの人々が歩き出すと、外国人男性はスマホを懐にしまった。そして何かを決心したような表情をして、交差点を歩き出した。


その頃。

歩美、光彦、元太は阿笠博士の家に集まって、ハロウィンのコスプレ衣装を作っていた。

「あ〜あ、結婚式のごちそう食べたかったなぁ〜」

昨日の結婚式を思い出した元太は、残念そうにつぶやいた。

「まさか訓練だなんて思いませんでしたよ」

光彦が布を縫いながら言うと、

「でも佐藤刑事、キレイだったよね〜」

歩美がニッコリと笑った。その言葉で、ソファで本を読んでいたコナンは佐藤のウェディングドレス姿を思い浮かべる。

確かにいつものパンツスーツの凛々しい姿とは違って、ウェディングドレスに身を包んだ佐藤はすごくキレイだった。その美しい姿を見て、思わず蘭のウェディングドレス姿を想像してしまったっけ……。

向かいのソファで紅茶を飲んでいた灰原は、ニヤニヤしながらコナンを見た。

「女性にとって花嫁衣装は特別だから、江戸川君も誰かさんの花嫁姿、妄想してたみたいだし」

「え⁉」

言い当てられたコナンが顔を真っ赤にすると、子供達がたちまち近寄ってきた。

「え！　誰かさんって誰⁉」

「誰ですか？」

「小林先生か？」

元太の見当違いな推測に、コナンは「え？　ってなんで？」と思わず冷静な顔になった。

「つーか、さっきから何作ってんだ？」

コナンは子供達が座っていたあたりを見た。布やカチューシャ、手袋、ハサミ、糸などが無造作に置かれている。

「ハロウィンのコスプレ衣装ですよ」

「これ着て、みんなで楽しむの」

「へへっ！　もちろんコナンと灰原もな！」

コナンと灰原は「ハァ⁉」と同時に声を上げた。

「ちょ、ちょっと待ってよ！」

「オレはそんなの――」

着ねぇぞ、と言いかけたとき――ドオォォン！　すさまじい爆発音がして部屋が揺れた。

「な、なんですか⁉」

「庭の方だ！」

元太と光彦が通用口へ走り、扉を開けた。すると、庭に巨大な穴ができていて、飛び出した元太は穴に落ちて転がっていった。穴の真ん中には巨大なサッカーボールがあって、穴に転がり落ちた元太がボフッとぶつかる。

「な、なんだよ、この穴⁉」

扉から外を覗いたコナンは、目の前の巨大な穴とサッカーボールに目を丸くした。大きく膨らんだサッカーボールはやがて徐々に空気が抜けていき、しぼんだサッカーボールの向こうに阿笠博士がひっくり返っているのが見えた。

「あいててて……」

「博士！」

むくりと起き上がった阿笠博士は、コナン達の姿を見つけてハハハ……と笑った。

「いやぁ、スマンスマン。びっくりさせたかのォ」

灰原と歩美は巨大な穴を回って駆けつけた。

「今度はいったい何をしてたの？」

「これじゃよ」

阿笠博士は持っていたベルトを見せた。

「それって、コナン君のボールが出るベルト？」

「超巨大ボールを発射できるように改良中なんだが、うまくいかなくての。もう少しで完成なんじゃ。表面の伸縮性と強度のバランスを調整すれば……」

「つつか、落っこちてケガするところだったじゃんかよー！」

元太が文句を言ったとき、コナンのスマホがピロリンと鳴った。

「おお、スマンスマン。大丈夫か？」

「許さねぇよォ！　うな重食わせろォ!!」

「いやぁ〜……それはちょっとうなじゅけ（うなずけ）ないなあ〜」

阿笠博士と元太のやり取りを聞きながらスマホのメッセージを見たコナンが、ニヤッと笑う。

「すぐ食わせてくれそうな人ならいるぜ」

一同はきょとんとした顔でコナンを見つめた。

警視庁の出入り口で蘭と待ち合わせをしていた小五郎は、蘭の後ろにコナンと子供達がいるのに気づいた。

「冗談じゃねぇぞ！　なんで俺がこいつらにおごらなくちゃならねぇんだ⁉」

「まぁまぁ、いいじゃない。たまには」

なだめる蘭の背後で、子供達が「ゴチになりまーす！」と声をそろえる。

小五郎はハァ……とため息をついて、桜田門に向かった。

「昨日の訓練の件で警視庁に行くから、この辺で昼飯食おうって言っただけだぞ！」

「だからみんなで食べた方がおいしいじゃない」

「ボク、天ぷら食べたいです！」

「わたしもー！」

「オレ、うなぎ！　うな重食いたい！」

桜田門を出たコナン達は、ぞろぞろと歩道を歩いた。すると、向こうから外国人男性がズボンのポケットを探りながら歩いてきた。コナンは外国人男性が左手に持っていたタブレットに目が行った。ところどころ焦げた跡があるのだ。

小五郎の後ろを歩いていた灰原と外国人男性がすれ違ったとき、メモのような物が外国人男性のポケットから落ちた。

「あ、ねぇ！　コレ落としたわよ」

灰原は声をかけ、メモを拾って外国人男性に歩み寄った。

「Oh……」

外国人男性はかがみ込んで、灰原からメモを受け取った。二言三言会話をかわして、灰原がコナン達のところへ戻ろうとしたとき、外国人男性が持っていたタブレットの画面が突然点いた。ロシア語が表示されて、ピーッと音が鳴る。灰原はその音に立ち止まって振り返った。

その瞬間――ドオォオン！

タブレットが爆発した。灰原と門の近くにいた警察官が爆風に吹き飛ばされる。

「灰原!!」

吹き飛ばされた灰原は車道に転がった。倒れた灰原に車が向かってくる――。

「お父さん！」

小五郎は植え込みを飛び越え、車道に出た。倒れている灰原を抱きかかえて転がる。急ブレーキをかけた車が二人の横を通り過ぎて止まった。が、対向車線に転がった二人に大型トラックが迫る。二人に気づいた運転手が急ブレーキをかけるが、大型車なのですぐには止まれない――。

ゴンと鈍い音がして、トラックが止まった。

「おっちゃん！　灰原！」

遅れて車道に飛び出したコナンは、小五郎達のところへ向かった。大型トラックの前に小五郎達が倒れていて、上半身を起こした灰原が小五郎の体を揺すっている。

「おじさん！　しっかりして！　おじさん！」

「灰原！」

「私は大丈夫。でも――」

「おっちゃん！」

小五郎はぐったりと地面に突っ伏していた。頭から血が出ている。

「蘭姉ちゃん！　救急車呼んで！」

「う、うん」

歩道で青ざめていた蘭は、慌ててバッグからハンカチと携帯電話を取り出そうとした。するとそのとき、火のついた紙がひらひらと目の前を落ちてきた。そのまま植え込みにポトリと落ちる。

「危ない！」

火が植え込みに燃え広がって、蘭はとっさにバッグで叩いた。子供達も息を吹きかけて消火しようとする。

その近くでは、倒れた外国人男性が激しい炎に包まれていた。

「早く消せ！」

「クソッ！　近づけない！」

炎はその場に集まってきた警察官を阻むように噴き上がり、猛煙が湧き起こった。

警視庁前はすぐに報道陣や野次馬が駆けつけて騒然となっていた。

意識のない小五郎は担架に乗せられ、救急車へ運ばれていく。

「じゃあボクは現場検証が終わったら、阿笠博士のところにいるから」

コナンは救急車に乗り込んだ蘭に声をかけた。

「うん」

不安そうな蘭を乗せた救急車のドアが閉まり、去っていく。救急車を見送るコナンのそばでは、灰原が佐藤から事情聴取を受けていた。

「すると、目の前で突然火に包まれたのね？」

「そう……」

コナンは灰原に近づき、「灰原」と声をかけた。

「お前、直前にメモを拾って渡しに行ったよな」

「ええ。何が書かれてたかまでは見てないけど」

「そのとき、何か会話してなかったか？」

「ああ……えっとね」

灰原は外国人男性との会話を思い出すように目を伏せた。

「『ありがとう、拾ってくれて。ある人に伝えたいとても大事なメモなんだ』ってロシア語で言ってたわ」

「大事なメモ……」

(少なくとも黒ずくめの組織が灰原を狙ったわけじゃなさそうだ……)

安堵するコナンのそばで、佐藤は驚いた。

「すごい……ロシア語わかるの？」

「あ、少しだけ……」

灰原はあいまいにごまかした。コナンが背後を振り返ると、爆発があった場所で現場検証が行われていた。歩道に横たわった遺体には青いシートがかぶせられ、その周りには鑑識官、目暮や白鳥、千葉刑事がいる。

「事故や自然現象とは考えられないですね。被害者を狙った犯行でしょう。持っていたタブレットが爆発源かと思われます」

鑑識官は透明の袋に入れたタブレットを目暮達に見せた。コナンは目暮の背後から近づいて、シートに包まれた遺体を覗き込んだ。遺体のそばには、焼け焦げた鞄が落ちている。

「ねえ、鞄のポケットのところに何か入ってるよ」

コナンが指差すと、目暮はビックリした顔でコナンを見た。そして落ちている鞄に目を向ける。

「ん？　確かに」

鑑識官が鞄のポケットをめくると、中は燃えておらず、小さな紙が入っていた。

「名刺のようだな」

目暮が覗く中、鑑識官は慎重に紙を取り出した。

目暮が言うとおり、小さな紙は名刺だった。

「こ、これは……！」

名刺を見た目暮とコナンが驚いていると、そこに事情聴取を終えた佐藤と高木がやってきた。

「一通り話は聞きました。……どうかしました？」

様子がおかしい目暮にたずねると、

「これを見てくれ」

目暮に言われて、鑑識官は持っていた名刺を佐藤達に向けた。名刺に書かれた名前を見て、佐藤と高木が目を丸くする。

「そ、それ……！」

〝捜査一課強行犯三係　松田陣平〟

名刺に書かれていたのは、三年前に殉職した刑事の名前だった。

松田陣平。

元警視庁刑事部捜査一課強行犯三係の刑事。

三年前、とある事件がきっかけで捜査一課に転属となったが、連続爆破事件の捜査中、犯人の作った爆弾が爆発し、殉職——。

佐藤達が名刺の名前に驚いている中、コナンは松田陣平のことを振り返っていた。

（名刺に書かれている所属は捜査一課。彼が一課にいたのは、ほんの一週間くらいだったはず。被害者はいつどこで名刺を手に入れたんだ？）

コナンはシートをかぶせられた遺体を見つめた。

爆発現場の周りには相変わらず野次馬が群がっていた。遠巻きにスマホを向けて写真を撮っている者もいる。

「マジで真ん前だな」

「警察への抗議とかか？」

「おっかねーな」

「勘弁してくれよって感じだよな〜」

興味津々に現場を見つめる野次馬の後ろに、外国人女性がひっそりと立っていた。その頬には一筋の涙が流れ、唇をわなわなと震わせている。やがてその外国人女性は静かに立ち去った。


現場検証が終わり、証拠品は警視庁のエントランスの隅に並べられた。目暮をはじめ白鳥、千葉など捜査一課の刑事が焼け焦げた証拠品をぐるりと囲み、コナンは柱の陰に潜んでこっそり盗み聞きしていた。

「ということで、被害者の身元は不明。子供達の証言をもとに似顔絵を作らせてはいるが……」

目暮は話しながら報告書をめくった。

「被害者が落としたメモも見てないんですかね？」

千葉がたずねると、目暮は首を横に振った。

「あの燃え方だと、メモも焼失した可能性が高いだろうな。今のところ、手掛かりはこの名刺だけということになる」

白鳥は透明袋に入った名刺を見て、眉根を寄せた。

「しかし、いくらなんでもこれだけでは……」

「いや、松田君が捜査一課に所属していた一週間の行動を詳しく追っていけば、手掛かりはつかめるはずだ」

目暮の言葉を受けて、千葉は持っていた資料をめくった。資料には松田陣平の経歴と写真が載っていて、千葉はまじまじと写真を見つめた。

「松田さんってこんな顔だったんですね。噂には聞いてましたけど」

「そうか。君の赴任は松田君の殉職の後だったな」

目暮に言われた千葉は小さくうなずくと、写真の目元にペンを置いた。

「……確かに目元を隠すと、高木さんに似てるかも」

ウェーブがかった髪に、意志の強そうな鋭い目つき。これらを隠せば、顔の輪郭や鼻、口元は高木とよく似ている。

白鳥も「ああ」とうなずいた。

「高木君が張り込みで変装したら、松田さんにそっくりだった」

以前、東京スピリッツ優勝パレードの日に怪文書が送られてきて、捜査一課の者は皆変装して捜査に当たった。そのとき、高木が偶然にも松田陣平のトレードマークである天然パーマ風のかつらとサングラスをしてきて、そのあまりにもそっくりな容貌に、白鳥や佐藤は度肝を抜かれたのだ。

白鳥がそのときのことを思い出していると、高木と佐藤が分厚いファイルを抱えて小走りしてきた。

「お待たせしました」

「一応、当時の日報も持ってきました」

「佐藤君。配属中、松田君と組んでいたのは君だ。何か思い当たることはないか？」

目暮に訊かれて、佐藤は「いいえ」と首を横に振った。

「外国の人に名刺を渡していれば、覚えてると思うのですが……」

「聞き込みは他の者に任せて、君は当時のことを思い出してみてくれ」

「……わかりました」

高木がちらりと見ると、うなずいた佐藤はどこか沈んだ表情をしていた。

分厚い日報を手にした佐藤は、一人で会議室に向かった。ドアを開けて、部屋に入る。

こっそり佐藤を追ってきたコナンは、周りを確認しながらドアノブに手をかけた。ドアをそっと開けると――佐藤の顔が目の前に現れた。

「気づいてないとでも思った？」

「!!」

「ったく、君のことだから盗み聞きしてたんでしょう」

佐藤はやれやれという顔をして、ドアを開けた。

「う、うん……」

「とにかく入って」

コナンが苦笑いしながら会議室に入ると、佐藤はホワイトボード前のテーブルに日報をドンと置いた。

「こんな物見なくても、アイツとの一週間はよく覚えてる。……高木君には内緒よ」

コナンの方を振り返った佐藤は、苦笑いした。

「すごい刑事さんだったんでしょ？　松田刑事って」

「ええ。態度がでかくて、口が悪くて、でも……」

ふいにその表情が陰り、言葉に詰まった。コナンが促すようにたずねる。

「……もしよかったらボクに教えてくれない？　松田刑事のこと」

「え？」

「話してるうちに何か思い出すかもしれないでしょ？」

コナンが優しく微笑むと、

「そう……そうね」

佐藤の表情が少し和らいだ。そしてテーブルからパイプ椅子を引き出して座ると、日報を開いた。コナンもテーブルを挟んで座る。

「……彼が捜査一課に配属になったのは、三年前の十一月一日。ハロウィンの翌日だったから覚えてるわ。だけど、急な転属だったから名刺は間に合わなかったの。渡せたのは十一月四日の朝。これも祝日明けだったから覚えてる」

「松田刑事が殉職したのは十一月七日。名刺を渡すチャンスがあったのは、この四日間だね」

コナンに言われて、佐藤は当時の日報をめくった。

「でも、四日は一日内勤だったし、五日も護送任務で留置場と拘置所の往復で終わり。七日は彼が亡くなる直前まで連続爆破犯の追跡をしてたから……」

「ってことは、名刺を渡すチャンスがあったのって……」

コナンはテーブルに置かれた日報から顔を上げて、正面の佐藤を見た。佐藤も真剣な表情でコナンを見る。

「そう。十一月六日だけ」

「だけど、勤務が終わってから誰かに渡した可能性もあるよね？」

コナンがたずねると、佐藤は眉をひそめ、パイプ椅子に背中を預けた。

「アイツ、うちの課に来てから一週間、寮に帰らないで庁内に泊まり込んでいたのよ。今から思うと、連続爆破事件のことを調べていたんでしょうね」

佐藤は当時のことを振り返った。松田が捜査一課の椅子を並べ、その上で毛布をかぶって寝ている姿が目に浮かぶ。

「でも、何か特別なことがあったって記憶はないのよねぇ。強盗犯捕まえて、バスの暴走を止めたでしょ。あと飛び降り志願者の制止。午前中はそんなものだったかな」

午前中だけでそんなに事件があっても特別じゃないのか——ドン引きしたコナンはアハハ……と苦笑いした。

「午後は、担当事件の聞き込みだった」

佐藤は日報を見ながら、十一月六日のことを思い出した。

＊＊＊

ビルの屋上から飛び降りようとする女性を説得して思いとどまらせた佐藤と松田は、覆面パトカーに乗って警視庁に向かっていた。

「ちょっと何よ、さっきの説得の仕方。助けられたからよかったけど、いつショックを受けて飛び降りるんじゃないかとヒヤヒヤしたわよ」

運転席の佐藤が文句を言っても、松田は助手席で黙ったままだった。

「少しは私の言うことも聞いてくれる？」

佐藤はチラリと助手席を見た。すると、松田は片手でスマホをいじっていた。文字を入力しているのか、ものすごい速さでスマホの画面に親指を滑らせている。

「メール？　速いわね」

「ああ、人より指先が器用なんでな」

「もしかして彼女かしら？」

佐藤がからかうように言うと、サングラスをかけた松田はフッと口の端を持ち上げた。

「いや……ダチに書いてんだ。送信しても受け取ってくれねぇ親友に……」

「受け取ってくれない？」

佐藤が前を見ながら首をかしげる。

「そいつは四年前に吹っ飛んじまったからよ」

「え？」

佐藤が驚いて助手席を見たとき、無線が入った。

『米花町三丁目で殺人事件発生。犯人はバイクで逃走中――』

「了解。追跡します！」

即座に無線機をつかんで返事をした佐藤は、アクセルを踏んでスピードを上げた。松田も窓を開け、警光灯を車の天井に取りつける。

「やっぱ普通じゃねぇな、この町……」

松田はそうつぶやいて、苦笑いした。

＊＊＊

(とんでもない一日だな)

佐藤の話を聞いたコナンは、心の中で突っ込んだ。

「その件の聴取が午後三時頃までかかって、その後桜田門に戻ってきたの」

日報に書かれた文字を指で追いながら説明していた佐藤は、その日の出来事を鮮明に思い出しつつあった。

「ねぇ、聴取って松田刑事と一緒に受けていたの？」

「いいえ、別よ。——あっ」

コナンに訊かれて、佐藤は思い出した。米花警察署で別々に聴取を受けていた松田は、佐藤よりだいぶ遅れて車に戻ってきたのだ。

＊＊＊

あの日。聴取を終えた佐藤は、米花警察署の駐車場に停めた車の中で松田を待っていた。

「悪い、待たせたな」

もうすっかり日も暮れた頃になって、ようやく松田が戻ってきた。

「どこに行ってたのよ。もう六時過ぎよ」

「ちょっとな」

助手席に座った松田は、シートベルトを掛けた。佐藤も車のエンジンを掛けて、シートベルトを取る。

　シートベルトの金具をバックルに差し込んだとき、松田のスーツのポケットから何かが飛び出しているのに気づいた。

＊＊＊

「あれは……」

　宙を見てつぶやく佐藤に、コナンは「どうしたの？」と声をかけた。ハッと我に返った佐藤が前のめりになる。

「今思い出したんだけど、松田君、ポケットに数珠を入れていたのよ」

「数珠……」

　コナンはうつむいて考えた。そして松田がメールを送信しても受け取ってくれない親友の存在を思い出す。

「さっき言ってた、松田刑事がメールを打っていた人って……」

「たぶん彼と同期で、爆発物処理班に所属していた萩原研二隊員。今から七年前、爆弾解体中に殉職したらしいの」

「その人の命日って……」

コナンに訊かれて、佐藤はハッとした。

「アイツと同じ、十一月七日だわ！」

コナンは日報のメモを指差した。

「命日の七日は連続爆破犯が連絡してくる日。松田刑事はその連絡が来るまでずっと本庁に詰めてたんだよね」

「つまり、その日はお墓参りに行けない……」

「だから六日に行ったんじゃない？」

突破口が見えてきたコナンは、ニヤリとした。

「萩原さんのお墓は確か渋谷のすぐ近くのお寺のはず！」

佐藤は立ち上がり、ドアを開けて会議室を出ていった。

高木と千葉が資料を抱えて廊下を歩いていると、突然会議室のドアが開いて、佐藤が飛び出してきた。

「どうしたんです、佐藤さん!?」

高木が声をかけても、佐藤は一目散に走っていく。

「これ頼む！」

高木は持っていた資料を千葉に渡し、佐藤を追いかけていった。

会議室に一人残ったコナンは、十一月六日の日報を見ながら考え込んでいた。

(事情聴取を終えたのが午後三時。同期の墓参りをするために渋谷のお寺に行ったとしても、夕方六時過ぎに帰ってくるのはいくらなんでも時間がかかり過ぎている。その三時間に何があったのか……？)

すると突然ドアが開いて、資料を抱えた千葉が入ってきた。テーブルに向かっているコナンを見てギョッとする。

「なんで君がここにいるんだい、コナン君!?」

考え事にふけっていたコナンは、声をかけられて肩をビクリと跳ねさせた。

3

月参寺は渋谷にあるとは思えないほど緑豊かで静けさに包まれていた。寺の一画にある墓地はそれほど広くなく、萩原研二の墓にはすぐにたどり着いた。墓地に植えられた木からは黄色い葉がはらはらと落ちてくる。

「はいはい、彼らのことならよーく覚えております」

穏やかな顔をした住職は、佐藤と高木の聞き込みにすんなりと答えてくれた。

「彼ら？」

高木が首をかしげる。

「松田君は一人で来てたんじゃないんですか？」

佐藤がたずねると、住職は「ええ」とうなずいた。

「数年前まで四人で来られていましたよ」

「四人!?」

メモを取っていた佐藤と高木は、同時に顔を上げて叫んだ。

「皆さん、萩原さんの同期だと言っておられました」

「三年前に来たときのこと、覚えていらっしゃいますか？　何時頃来たとか」

佐藤の質問に、住職は少し考えて答えた。

「毎年午後の三時過ぎくらいだったと思います。ただどういうわけか、最近は参拝される人数が減っていき、去年はお一人に……。寂しい限りです」

「その最後の一人の名前はわかりますか？」

高木の質問に、住職は再び考え込んだ。

「名前は確か……そう！　フルヤさんという方だったと思います」

月参寺から警視庁に戻ってきた佐藤と高木は、千葉に捜査一課のパソコンでフルヤという男を調べてもらった。

「フルヤレイ……」

千葉はその名前をつぶやきながら、『警視庁警察学校卒業者名簿』の検索欄に『フルヤレイ』と入力して、虫眼鏡アイコンをクリックした。するとすぐに『検索結果0件　NO DATA』と表示される。

千葉は後ろに立っている佐藤を振り返った。

「どれだけ調べてもこのとおりです。本当にいるんですか？　そのフルヤって男」

「松田君の同期だった男よ。たとえ警察を辞めていたとしてもデータは残っているはず……」

佐藤が険しい顔でパソコンの画面を見つめていると、
「佐藤警部補に高木巡査部長」

背後から名前を呼ばれて、ハッと振り返った。背後に立っていた男の顔を見て驚く。

その男は頭に包帯を巻き、顔中に絆創膏が貼られていたのだ。
「あなたは確か……」

黒の短髪にメガネをかけたつり目の男に、佐藤は見覚えがあった。男は懐から警察手帳を出して、佐藤達に見せた。
「警視庁公安部の風見です。ちょっとよろしいですか？」

公安刑事が捜査一課にいきなりやって来るなんて、佐藤は嫌な予感がした。
「捜査を中止しろ？」

佐藤の予感は的中した。

風見は佐藤達に爆発事件の捜査を中止するよう命じてきたのだ。
「この事件は我々公安が担当します」

捜査一課を後にした風見は、警視庁の入り口前に停めた公安の車に向かった。

「バカなこと言わないで！　これは私達の事件よ！」

入り口まで追いかけてきた佐藤が風見の背中に向かって叫ぶと、風見は立ち止まってチラリと振り返った。

「君達にはどうこう言う権利はないです。これは要請ではなく命令ですから。話は以上です」

風見は冷たく言い放ち、車に乗り込んだ。スライドドアが勢いよく閉まり、車が発進する。

「冗談じゃないわ！　こんな横暴、到底承服できない！」

佐藤は、わなわなと肩を震わせながら踵を返した。高木が慌ててその手をつかむ。

「冷静になってください！　悔しいですけど、僕らにはどうにもできません」

「私は冷静よ！　変なこと言わないで！」

「で、でも……」

佐藤の剣幕に押された高木が言いよどむと、佐藤は高木の手を振り払った。

「ちょっと上と掛け合ってくる！」

そう言ってズカズカと歩き、扉を開けて廊下を進んでいく。早足で立ち去る佐藤の背を、高木は不安げな顔で見送った。

(そんなに熱くなるのはやっぱり……)

「松田さんが関わっているから、彼女は冷静じゃない」

背後から声がして、高木はハッと振り返った。いつの間にか庁舎入り口の壁際に白鳥が立っていた。

「白鳥さん！」

「……なんて顔をしているようだね、君」

白鳥は高木の顔を見てニヤリと笑った。

「え、ええ。松田さんの名刺を見てから佐藤さん、周りが見えていない気がして……」

高木は肩を落として息をついた。

「白鳥さん、前に言いましたよね。彼女が松田刑事のことを引きずっている限り、我々に勝ち目はないって」

以前、松田刑事が殉職した事件のことを聞いたとき、白鳥から言われたのだ。

松田は観覧車に仕掛けられた爆弾を解体中に爆死した。本来なら爆弾を解体できたのだが、次の爆弾のありかのヒントを手に入れるために自ら犠牲となった。死ぬ直前、佐藤に告白メールを送り、佐藤の心に強い思いを残して――。

白鳥は「ああ」とうなずいて、高木に近づいてきた。

「だがそれは間違いだった」

「え？」

「勝ち目がないのは僕だけだった。違うかい？」

「あ……は……」

高木は顔を赤くした。

松田を爆死させた犯人が再び爆破事件を起こしたとき、犯人を追い詰めた佐藤は犯人を撃ち殺そうとした。それを高木が止めて説得したことで、佐藤は松田への引きずっていた思いを断ち切り、高木との愛を深めたのだ。けれど……。

「でも……やっぱりダメなんですよ。僕なんかじゃあ……」

どこか自分に自信が持てない高木は、白鳥から目をそらしてぼやいた。

「……しかし君もずいぶん出世したもんだ」

「しゅ、出世!?」

高木が驚いて顔を上げると、白鳥はくるりと後ろを向いて歩き出した。

「自ら命を賭して大勢の命を救った伝説の刑事に嫉妬しているんだから」

「いや、僕は嫉妬なんて――」

白鳥がピタリと立ち止まった。

「松田刑事のことは関係ない。事件を横取りされたのなら取り返せばいい。急がないと佐藤さん、一人で公安に怒鳴り込むぞ」

「あっ……」

白鳥に言われて高木はようやく気づいた。くよくよ悩んでいる場合じゃないのだ。

「す、すみません。ありがとうございました！」

高木はぺこりと頭を下げ、すぐに庁舎へ入っていった。その姿を見送った白鳥が苦笑いする。

（まぁ君達の恋路は、かなり邪魔をした負い目があるからね……）

そのとき、ポケットに入れていた白鳥のスマホが震えた。ポケットから取り出して画面を見ると、恋人の小林澄子からの着信だ。

「あ、小林先生♥」

白鳥は嬉しそうに頬を緩めて、すぐに電話に出た。

警視庁を出たコナンは、その足で小五郎が搬送された日比谷救急病院に向かった。

病室では頭に包帯を巻いた小五郎がベッドで眠っていて、その横で蘭が付き添っている。

「骨は折れてなかったんだけど、頭を強く打ったみたいなの。明日、別の病院に転院して詳しく検査を受けるんだって」

小五郎の首には頸椎固定用のネックカラーが着いていて、ガウンから覗く胸元にも包帯が巻かれていた。

（おっちゃん……）

そのとき、ドアをコンコンとノックする音がした。蘭が「はーい」と言って椅子から立ち上がり、ドアを開ける。

「どちら様ですか？」

廊下には見知らぬ男性と外国人女性が立っていた。

「村中努と申します」

がたいのいい短髪の男性は軽く頭を下げ、隣の女性を手で示した。

「こっちはフィアンセの……」

「クリスティーヌ・リシャールです」

外国人女性も自己紹介して頭を軽く下げる。

「……村中さんに、フィアンセのクリスティーヌさん……ああ、昨日の訓練の！」

と、ひらめいた蘭を、村中とクリスティーヌはきょとんとした顔で見つめた。

蘭とコナンは病院内の喫茶店に行き、村中達と向かい合って座った。昨日、結婚式の警備の訓練があったことを話すと、村中は驚いて頭を下げた。

「目暮がそんなことを……それは皆さんにもご迷惑をかけてしまって申し訳ない」

「いいえ、気にしないでください。ただ、ちょっとビックリしちゃっただけで……」

「私からもお詫びします」

クリスティーヌが流ちょうな日本語を話して、頭を下げる。大人二人に謝られた蘭は「いいんです、いいんです」と両手を振り、「あ、日本語お上手なんですね！」と話題を変えた。

「両親共にフランス人ですが、私は二十歳のときから日本で暮らしています」

「彼女とは病院で出会ったんです。肩をケガして入院してたときに」

村中はそう言って右肩に手をやった。

「私が診察券を失くして困っていたら、彼が見つけてくれたの」

「へぇ、運命の出会いですね！」

恋バナが好きな蘭がワクワクした顔で言うと、

「まぁ、そんなところかな」

村中はのろけながら、右手でコーヒーカップを持ち上げて飲んだ。

「今日はどうしてここに来たの？」

コナンがたずねると、村中とクリスティーヌは二人そろってコナンに目を向けた。

「実は毛利探偵には披露宴でスピーチをお願いしていたんだ。私も彼女も眠りの小五郎のファンだから」

村中の言葉に、クリスティーヌもニッコリと微笑む。

「そうだったんですか」

蘭は二人が病院を訪れた理由に納得した。

「まったく許せんよ。毛利探偵を狙うなんて」

村中はそう言って、コーヒーカップを強く置いた。

「あ、いえ」蘭は慌てて否定した。

「父は狙われたわけではないんです。爆弾の爆発から子供を守ろうとして……」

「なんと……」

村中は頭を抱えた。その腕にテーブルに置かれていた伝票がくっついていて、左隣に座ったクリスティーヌが微笑みながら左手で伝票を取る。

「被害者の落とし物に気づいた子供が、それを拾って渡そうとしたとたん、炎が上がったんです。父はそれを助けようとして……」

「じゃあ子供を救った英雄ね。眠りの小五郎は」

村中の腕から伝票を取ったクリスティーヌは、蘭の方を見てニッコリと微笑んだ。

「そうだな。大変なときに押しかけてすみませんでした。目を覚ましたら、毛利探偵にもよろしくお伝えください」

村中が再び頭を下げて、蘭は「はい」と微笑んだ。

四人は席を立ち、村中が会計を済ませるのを蘭達は入り口で待っていた。

「そういえば式を挙げる場所、とても素敵でした」

蘭が言うと、クリスティーヌは「でしょう？」と嬉しそうに両手を胸の前で合わせた。

「渋谷の街が一望できて、一目で決めたの」

「あ……昨日は天気が悪くて……」

「もやがかかってよく見えなかったよね」

蘭とコナンの言葉に、クリスティーヌは「まぁ……」と気の毒そうに眉を寄せた。

「だったら明日、皆さんで見学にいらっしゃらない？」

「おいおい、毛利探偵がこんなときに……」

会計を済ませた村中が止めようとすると、クリスティーヌは「え～」と不満げな声をもらした。

「ハロウィンの飾りつけもあんなに素敵なのに、見られないなんてかわいそうだわ。いいでしょ？」

と甘えた声で懇願し、左手で村中の頬に触れる。

「まぁ、君がそこまで言うなら……」

「ありがとうございます！」

お礼を言う蘭の隣で、コナンは甘えられてデレデレしている村中を見て、結婚したら尻にしかれそうだな……と苦笑いした。

喫茶店を後にした村中達は、病院の前に停まったタクシーに乗り込んだ。

「じゃあまた明日」

コナンと蘭は二人を乗せたタクシーが走り去るのを見届けた。

「お父さんが言ってたんだけど、村中さん、昔はすっごく厳しい人で『鬼の村中』って恐れられていたそうよ。」

「そうなの？　今の村中さんからは想像できないね」

コナンは先ほどクリスティーヌと一緒にいた村中を思い浮かべた。確かに強面でがたいのいい村中は一見怖そうだけど、クリスティーヌに甘えられてデレデレしていた村中は鬼とはイメージがかけ離れている。

「きっとクリスティーヌさんのおかげで優しくなったのね。——あ、もうこんな時間。わたし達もそろそろ帰ろっか」

いつの間にか日が陰り、あたりはうっすらと暗くなっていた。蘭が浮かない表情で夕空を見上げる。コナンは「蘭姉ちゃん」と声をかけた。

「ボク阿笠博士のところに泊まるから、今日はおじさんのそばにいてあげて」

「え、でも……」

「ボクは一人で大丈夫だから」

「……ありがとう。じゃあ気をつけてね」

「うん」

コナンがうなずくと、蘭は入り口に向かった。自動扉が開いて、中へ入っていく。自動扉が閉まるのを見届けてから、コナンは前を向いたまま言った。

「そこにいるんでしょ。ボクに何か用？」

村中達を見送りに病院の玄関まで出てきたとき、駐車場に不審な車が停まっているのに気づいていた。

コナンの言葉を聞いて、柱の陰からスーツ姿の男が二人出てきた。子供に気づかれるとは思いもしなかった二人は、面食らった顔でコナンを見つめる。

その夜。佐藤は捜査一課のデスクに残って、捜査資料を読んでいた。

「お疲れ」

「お疲れ様です」

他の刑事はみんな帰ってしまい、広いフロアに佐藤一人だけになった。再び捜査資料に目を落とし、ページをめくる。するとふいに横から手が伸びて、佐藤の机に積まれたファイルを一冊取っていった。

「ぼ、僕も手伝います」

ファイルを取ったのは高木だった。

「……無理しなくていいのに」

「無理なんかしてません」

高木は隣の席に座り、ファイルを開いた。佐藤も再び資料と向き合う。

「……死神よ」

「え？」

高木が驚いて見ると、佐藤は資料に目を落としたまま言った。

「あの連続爆破事件のように、また最近死神がちらつきはじめて……。だからあなたの言うとおり、熱くなり過ぎてたのかも。ごめんなさい」

そう言って、高木の方を向いて頭を下げる。

「佐藤さん……」

「もぉ、こんな思いするくらいならさっさと刑事辞めて、高木君のお嫁さんになっちゃおっかなー、なんて」

頭を上げた佐藤は、開き直ったような明るい声で言って、高木を見た。いつもの高木なら顔を真っ赤にして反応しそうなのに、どこかムッとした顔で黙っている。

「……そんな悲しいこと言わないでください」

「え？」

「刑事が事件を放り出して辞めるなんて言ったら、負けなんじゃないですか？」

「高木君……」

「僕は佐藤さんが負けるところなんて見たくない。僕が大好きで恋焦がれているのは、刑事の佐藤美和子なんだから!!」

頬を赤く染めた高木は、佐藤の目をまっすぐ見つめて断言した。見つめられた佐藤も頬を赤く染める。

「……そうだよね、ワタル……」

自分の発言に恥ずかしくなった高木は前を向き、椅子から立ち上がった。

「あ、でもさっきの話は別ですよ。そ、その……僕のお嫁さんになるって言う……」

勇気を振り絞って口にしたのに、横を向くと佐藤の姿はなかった。いつの間にか出ていってしまったのだ。

「――って、いない――!!」

がらんとしたフロアで、高木は叫んだ。

4

病院の駐車場に停められた車にコナンが乗り込むと、いきなり目隠しをされた。どうやら今から向かうところは、知られたくない秘密の場所らしい。

コナンは男達に大人しく従った。車は駐車場を出て、道路を走る。

どこに向かっているのか、コナンにはわからなかった。けれど、その場所に誰がいるのかは予想ができた。

「降りるんだ」

車が止まって、目隠しをしたコナンは男にシートベルトを外されて車から降りた。男の一人がコナンを抱きかかえて、前に進む。

どうやらそこは、倉庫のような広い場所らしかった。硬い床を進む足音が響く。しばらく進むと男達は立ち止まり、くるりと体の向きを変えた。そしてコナンを床に下ろす。

「連れてきました。……はい、お願いします」

誰かと話す男の声が聞こえてきて、ビーッと電子音が鳴った。とたんにガクンと足元が沈んだ。コナンが下りたその場所は、どうやら古いエレベーターの中だったらしい。エレベーターはどんどん下りていく。いったいどこまで下りるんだ――コナンがそう思うくらい長い間、エレベーターは下降し続けた。

ようやくエレベーターが止まった。すると背後から目隠しが取られて、コナンは目を開けた。エレベーターの先は、広い部屋になっていた。正面に二本の柱が並び、その先にガラスで仕切られた空間がある。ガラスの向こうに人が座っているのが見えた。一人用のソファにサイドテーブル。テーブルの上にはレトロな黒電話とグラスが置かれていて、座っている人物は受話器を取った。

プルルル……プルルル……。コナンの目の前の柱に掛かった電話が鳴る。

コナンはエレベーターを出て、柱に掛かった電話に手を伸ばした。

「こんなところに連れてきて、いったいどういうつもり？　――安室さん」

『やっぱりわかっていたんだね』

ガラスの向こうでソファに座っていた安室は、平然とした顔つきで言った。

「警視庁前で起きた外国人焼死事件の捜査にストップがかかったって聞いたからね。そんなことができるのはよほどの権力者か、あるいは――」

『公安』

安室が先回りして答える。コナンはニヤリと笑った。

「今度の事件には殉職した松田刑事が関わっていて、あなたは警察学校で彼と同期だった。さらにその件で、捜査一課の佐藤刑事と高木刑事が動きはじめている。その状況を考えたら……答えはすぐ出るよ」

『そこまで読み切ったうえで、わざと一人になり我々に拘束される機会を作った……』

安室は受話器を持ち替えて立ち上がると、黒電話を持ってガラスの方へ歩き出した。

——ガンッ。

ガラスに黒電話を打ちつけて、コナンをにらみつける。

『君はいったい何者なんだい？』

コナンは肩をすくめ、笑みを浮かべた。

「……そんなことよりここはなんの施設なの？」

『公安が所有する地下シェルターさ。僕と君を隔てているガラスは特殊強化ガラス。電波も遮断する』

コナンは柱に掛かった電話機を見た。

「だからスマホじゃないんだね」

『ここでもし大爆発が起きたとしても君は無傷だし、地上の誰もそのことに気づきはしない』

黒電話を下ろした安室の首には、不自然なほど大きな銀色の首輪が巻かれていた。

「その首輪みたいな物って……」

『そう、爆弾だ』

安室はそう答えると、コナンに首輪爆弾を見せるようにくるりと回った。

『時限式なのか無線式なのかも不明。解体方法もわからない。悔しいけどお手上げなんだ』

肩をすくめる安室に、コナンは何も言えなかった。

『捜査一課の刑事さん達がボクに会いたがっていることは知っている。でもこれじゃあ会うわけにはいかないだろう？　それに――』

「彼らに面が割れると、潜入捜査もご破算だしね」

コナンがフッと笑うと、安室も頬を緩めた。

『ポアロのアルバイトも辞めなくちゃならなくなる』

「それでボクを呼んだんだ」

納得するコナンの前で、安室は黒電話を置き、床に座り込んだ。

『僕の知っている情報は全て伝える。だから一課の捜査に協力してほしい』

そう言って頭を下げる。コナンの背後にいた公安刑事の二人は、思わず目をパチクリさせた。安室が頭を下げる姿なんて見たことがなかったのだ。まして子供になんて――。

コナンは、あぐらを組んで自分と同じ目線になった安室にたずねた。

「で、三年前の十一月六日、安室さんは松田刑事に会ったんだよね？」

『ああ、会ったよ。同期四人で、久しぶりにね……』

安室は答えながら、三年前のことを振り返った。

＊＊＊

三年前の十一月六日。

あの日は、松田だけ遅れて萩原の墓がある月参寺にやってきたのだ。

「やれやれ……」

「遅刻だぞ」

「来ないかと思ったよ、松田」

萩原の墓前で手を合わせていた安室、伊達航、諸伏景光は、足音がする方を振り返った。

「悪い、悪い。事件事件で抜け出せなくってよ」

仏花を持って現れた松田は、焦る様子もなく、ゆっくりと歩いてくる。

「捜一に移ったんだってな。居心地はどうなんだ？」

安室がたずねると、松田は歩きながら「まあまあってとこかねぇ」と答えた。

「俺も来月から警視庁に配属が決まったから、下手うって追い出されないでくれよ、先輩！」

と、伊達がウインクする。

「バーカ、刑事としてはお前の方が先輩だろうがよ」

松田が憎まれ口を叩いて返すと、諸伏が墓の方を向いた。

「でも、松田が来てくれて、萩原も喜んでるよな」

「来ねぇわけないだろ」

松田は墓前に来ると、墓石に向かって拳を突き出した。当たる直前で止めて、コツンと軽く叩く。

「こいつの仇をとるって約束、まだ果たせてねぇんだからよ」

＊＊＊

結局、松田は萩原の墓前で誓った約束を果たすことはできなかった。

『その次の日に、あんなことが起こるなんてね……』

安室は寂しげな顔でつぶやいた。

「それだけじゃないよね？」

コナンの言葉に、安室が『ん？』と顔を上げる。

「その後に何かあったんじゃない？　爆弾に関係する事件が」

その日、松田は六時過ぎに戻ってきたと、佐藤は言っていた。午後三時に事情聴取を終えて渋谷にある月参寺に向かい、墓参りを済ませて、米花警察署に六時過ぎに戻ってくるというのは、どう考えても時間がかかり過ぎている。

『どうしてそう思うんだい？』

「ちょっと調べたんだ。お墓があるお寺は渋谷の近くだったよね。三年前のその日、渋谷の雑居ビルでガス漏れ騒ぎがあったって」

その三時間の間に何かあったのではと思ったコナンは、小五郎の容体を見に行った病院のロビーで、当時渋谷界隈で起きた事件をスマホで調べてみたのだ。

安室はかすかに苦笑いを浮かべた。

『君の推理どおりさ。あの日……』

＊＊＊

萩原の墓参りを済ませた後、松田は安室の車に乗った。

「渋谷駅で降ろしてくれ。あとは一人で帰るから」

「悪いが送るのは駅の手前までだ」

渋谷駅に向かっている安室の車は、雑居ビルが並ぶ交差点の信号で止まった。

「そういや諸伏と同じく、人目についちゃあいけねぇ立場だったな」

助手席に座った松田は、信号待ちをする安室が助手席の窓の方を見ているのに気づいた。

窓に目を向けると――雑居ビルの前にパトカーが一台停まっていた。二名の警察官が通行人と何やら言い争っているのが見える。

「どうやら仕事のようだな、刑事さん」

「ったく、なんて日だ！」

松田は苦笑いしながらシートベルトを外し、車を降りた。安室も近くに車を停める。

警官達の元へ向かった松田は、身分証を提示した。警官が敬礼する。

「どうかしたのか？」

「はい。この雑居ビルに誰かが入り込んで暴れているると通報があったのですが……」

警官の一人が目の前の雑居ビルを指差した。六階あたりの窓ガラスが割れていて、入り口には『進入禁止』と書かれたバリケードのような柵があった。柵の一部が壊れている。

「ただ所有者の許可もなく立ち入るのもどうかと思い……なぁ？」

もう一人の警官がうなずく。すると、松田は二人を押しのけて中に入っていった。

「いいんですか!?」

ビックリしている警官達の元に、遅れて安室もやってくる。

「大丈夫、任せて」

安室も壊れたバリケードからビルの中へ進んだ。

雑居ビルは長らく使われていないようで、中は荒れ放題だった。電気も点いていないので、薄暗い。安室は電話で伊達と諸伏を応援に呼ぶことにした。中目黒駅まで歩くと言っていたから、まだ近くにいるはずだ。

入り口のすぐ右脇に階段があった。安室と松田は警戒しながら、階段を上がっていった。各階の踊り場には扉があって、その先が部屋になっていた。二人は扉を開けて部屋をチェックして、上の階へ向かう。窓ガラスが割れていた六階の扉が、少しだけ開いていた。エアコンだろうか、ゴオォォとうなる音が聞こえてくる。

先に階段を上っていた安室は、静かに扉に近づき、隙間から部屋を覗いた。

「！」

割れたガラスやごみが散乱する部屋の隅に、配管パイプに両手を繋がれた男が座り込んでいた。

「気を失ってるみたいだ」

「日本人じゃやねえな」

安室と松田は周囲を警戒しながら、外国人らしき男に近づいた。安室が男の前でしゃがみ、肩をポンと叩く。

「大丈夫か？」

頭から血を流した男は、目を覚まして顔を上げた。安室と松田を見てハッと息をのみ、怯えた表情になる。

「落ち着け。俺達は刑事だ。刑事だ、け・い・じ！　わかるか？」

警察手帳を示した松田は、大きな声でわかりやすく発音した。男は日本語を理解できなかったが、松田達が敵ではないと感じたらしい。わずかに安堵の表情を見せたかと思うと、すぐに険しい顔つきになり、聞き慣れない言語を発した。

「Бегите！（逃げろ）」

「ん？」

「ロシア語だ。逃げろと言ってる」

安室は訳すと、床に散らばっていたガラスの破片を手に取り立ち上がった。座り込んでいる男をまたぎ、男の両手を縛るロープにガラスの破片を当てる。

松田はスーツのポケットから名刺を取り出し、男に差し出した。

「先に下りてろ。警察に止められたら、この名刺を見せるんだ」

男は差し出された名刺を見て、首をかしげた。

「Спускайтесь первым. Если вас остановит полиция, покажите эту визитку.（先に下りてろ。警察に止められたら、その名刺を見せるんだ）」

ガラスの破片でロープを切っていた安室が、ロシア語で説明した。ロープが切れて両手が自由になった男は、松田の名刺を受け取り、まじまじと見つめる。

そのとき、ガコンと大きな音がした。三人は一斉に音がした扉の方を見た。階段に繋がる扉とは違う扉だ。おそらくその先に別の部屋がある。

ゴトッ、ゴツッ……と音が続いた。

「……まだお客さんがいるみたいだな」

扉の方を見る松田のそばで、男は立ち上がった。

「Мне пора！（俺は逃げるぞ！）」

一目散に走り、部屋を出て階段を駆け下りていく。安室は上着の下から拳銃を抜いた。

「さすがなんでも持ってやがるな、公安は」

拳銃を構えながら扉に近づいていく安室を見て、松田がフッと笑う。

扉の前に立った安室は、思いきり扉を蹴り開けた。

「動くな！」

と銃を構える。

そこは、先ほどの部屋の半分ほどの広さだった。狭いスペースにいくつもの棚が置かれ、工具や薬品らしき物がずらりと並んでいる。正面奥には大きな作業台があり、その前に上着のフードをかぶった人物が後ろ向きで立っていた。作業台に置かれた大きなタンクの蓋に手をかけている。

その人物は、ゆっくりと扉の方を向いた。鳥のような大きなくちばしがついたペストマスクをかぶっていて、その出で立ちから異様な雰囲気を漂わせている。

「マズイな……」

扉から中を覗いた松田は、眉をひそめた。

「なんだ？」

安室が拳銃を構えたままたずねる。

「後ろにあるのは爆弾だ。下手に撃ったらドカンの可能性がある」

ペストマスクの人物の背後には、大きな透明のタンクが二つ置かれていた。それぞれにピンクと水色の液体が入っていて、タンク上から伸びたチューブが中央にある小さな空のタンクに向かっている。おそらく二液混合式の爆弾だ。

「あの大きさだと、このビルにいたらまずお陀仏だ」

「……止められるか？」

安室の言葉に、松田は眉をひそめた。

「止められないとでも？」

「頼んだよ」

安室がフッと笑う。そのとき、ペストマスクの人物の下ろした右袖から、するりと拳銃が出てきた。

安室はすばやく扉の陰に飛び込んだ。松田も覗かせた顔を引っ込める。

即座に構えて撃つ。

ペストマスクの人物は連続してトリガーを絞った。扉や床が弾け、転がった空き缶に当たって吹っ飛ぶ。

ひとしきり続いた銃声がおさまると、駆ける足音と扉が開く音がした。

「待て！」

床に倒れていた安室は慌てて立ち上がり、奥の部屋に飛び込んだ。が、ペストマスクの人物の姿はなかった。部屋の左手にある扉が開いている。

「僕は奴を追う。松田は早く爆弾を！」

「ああ、そっちこそ頼むぜ」

安室は隣の部屋で座り込んでいる松田を見てうなずき、部屋の奥に向かった。

駆ける足音がだんだんと遠のいて、松田は起き上がった。部屋の中に入り、爆弾が置かれた作業台の前に立つ。

「とはいえ、こいつは手ごわいぜ」

蓋が開いた大きなアクリルケースに入れられた爆弾の前には、デジタル式のタイマーが置かれていた。残りの時間、８分25秒——。

扉の先の通路を進むと、非常階段に出た。

安室は手すりに手をかけて下を覗いた。とたんに、ダン、ダンと上から大きな音がする。

上か——安室は非常階段を駆け上がった。半階分の階段を上って踊り場に出た瞬間、上の階から非常扉が落下してきた。ペストマスクの人物が拳銃で破壊して落としてきたのだ。

安室はギリギリのところでよけた。手すりに直撃した非常扉は、そのまま外側に倒れ、手すりを越えて地面へ落下した。ビルの前に停まっていた車に直撃して、窓ガラスやドアが吹っ飛ぶ。

踊り場に倒れた安室が階段を見上げると、ペストマスクの人物はビルの中に入っていった。

「中に逃げた……？」

安室にはその行動が理解できなかった。なぜまたビルの中に逃げ込むのか。しかし考える暇はなかった。すぐに起き上がり、階段を駆け上がる。破壊された出入り口で拳銃を構え、警戒しながら中へ入って通路を走った。部屋に通じる扉は開いていた。扉の手前の壁に張りつき、身を翻して扉の前に立ち拳銃を向ける。

その部屋はかつてバーだったようで、L字形のカウンターと丸い回転椅子が残っていた。

拳銃を構えながら隣の部屋に移動したが、ペストマスクの人物はいない。

そのとき、タン、タン……と階段を下りる足音が聞こえてきた。

「下に降りた……」

非常階段へ出たにもかかわらず、再びビルの中に戻って内階段を下りる——その不可解な行動のわけに、安室はようやく気づいた。

「マズイ！　狙いは松田か……!!」

　作業台の前で片膝をついた松田は、爆発装置に繋がったいくつものケーブルを引き出し、その中の一本をパチン、とペンチで切断した。

　すると、背後の扉からタタタ……と近づく足音がした。ミニライトを口にくわえたまま振り返ると、扉の前に拳銃を構えたペストマスクの人物が立っていた。

「テメェ、楽しい楽しい爆弾の解体中だってのに、邪魔してんじゃやねぇ！」

　すごむ松田に向かって、ペストマスクの人物はトリガーを絞る。

　撃たれる、と思った瞬間、松田の前を何かが遮った。それは車のドアだった。伊達が車のドアを盾にして飛び込んできたのだ。

　銃弾が車のドアに直撃して、火花が散った。

「班長！」

「丸腰で、銃持ってる奴にすごんでんじゃやねぇ！」

　伊達は車のドアを持ったまま、ペストマスクの人物に突っ込んだ。ペストマスクの人物は大きくジャンプしてよけると、空中で一回転して着地する。そこに諸伏の回し蹴りが決まった。ペストマスクの人物はそばにあった棚に倒れた。蹴られたはずみで拳銃が宙を舞い、諸伏がすばやく取って構える。

「ヒロ！」

「ゼロは無事!?」

諸伏はペストマスクの人物に銃を向けたままたずねた。するとそこに階段を下りて安室がやってきた。

「すまん、助かった！」

「奴がぶっ壊した車のドアを持ってきて正解だったな」

車のドアを盾にする伊達の横で、安室は拳銃を構えた。拳銃を取られ四人に囲まれたペストマスクの人物は、さすがに敵わないと判断したのだろう。いきなり背後の扉に向かって走り出した。

諸伏が銃弾を放った。しかし弾は当たらず、ペストマスクの人物は非常階段へ向かった。

「待て！」

諸伏は後を追った。伊達も続く。

非常階段へ飛び出したペストマスクの人物は、右袖の中からフック付きのワイヤーを射出した。フックが向かいのビルの手すり壁に引っかかり、ペストマスクの人物は非常階段の手すりを乗り越えて大きくジャンプした。諸伏が捕まえようと飛び出して手を伸ばしたが、すんでのところで届かなかった。手すりから落ちそうな諸伏の体を伊達が押さえる。

「二人ともよけろ！」

背後から声がして、二人は振り返った。安室が銃を構えている。

「逃がさないよ」

安室は正面に向かって撃った。放たれた弾丸は伊達と諸伏の間を突き進み、ペストマスクの人物がぶら下がるワイヤーを撃ち抜いた。

ワイヤーを失ったペストマスクの人物は、向かいのビルの手すり壁に激突した。落ちそうになるところを片手一本で手すり壁をつかみ、身軽に乗り越えていく。諸伏が放った銃弾は手すり壁にむなしく弾かれた。

「班長！　頼む‼」

突然、安室が上着を脱ぎ捨てて走り出した。非常階段にいる伊達達に向かって突き進んでくる。

「マジかよ！」

伊達は安室の方を向いて腰を落とし、拳を握った両腕を体の前でまっすぐ伸ばした。走ってきた安室が伊達の手を踏み台にして、向かいのビルに向かって思いきりジャンプする。

大きく宙に飛んだ安室は、向かいのビルの手すり壁にギリギリ着地して、くるりと一回転して非常階段に下りた。ペストマスクの人物がいる階の一つ下だ。

「ヒロ！　班長！　まだこいつの仲間が潜んでいるかもしれない！　松田を頼む！」

安室は階段を駆け上がるペストマスクの人物を追いかけながら、叫んだ。

「お、おう！　お前も気をつけろよ！」

伊達が松田の元へ向かおうとすると、諸伏が「班長」と呼び止めた。

「俺はゼロの援護に回るよ。奴は只者じゃない。一人で相手するにはキツイと思う」

非常階段を駆け上がったペストマスクの人物は、手すり壁に飛び乗ったかと思うと垂直にジャンプして後方に半回転し、非常階段の屋根をつかんで屋上に上った。その恐ろしいほどに優れた身体能力に、諸伏と伊達は目を丸くする。

「……おう、じゃあ頼むぞ！」

伊達はビルの中へ入っていき、諸伏は安室のもとへ向かっていった。

ペストマスクの人物を追いかけて、安室も非常階段の屋根から屋上に上がった。屋上は塔屋と数台の室外機があるだけで、がらんとしている。安室は拳銃を両手で持ち、警戒しながら塔屋に近づいていった。壁に沿いながら拳銃を構える。そのとき、背後に人の気配を感じた。塔屋の陰からペストマスクの人物が出てきたのだ。

安室は振り返り、銃口を向けた。すると、ペストマスクの人物は何かを投げつけてきた。

(手榴弾……!!)

なぜそんな物を――安室は一瞬のうちに思い出した。諸伏の蹴りで棚に倒れたとき、棚の箱から手榴弾をすばやく取ったのだ。

安室は横っ飛びで手榴弾をキャッチし、体を回転させながら投げ返す。

その瞬間、手榴弾が爆発した。


伊達が爆弾のある部屋に戻ると、松田は口にくわえたライトで爆弾を照らし、コードを切っていた。

「まだ逃げてるだって？」

「仲間がいるかもしれんしな」

伊達が爪楊枝をくわえながら答えると、松田は口にくわえたライトを取った。

「いねぇよ」

「え？」

「いたら俺を殺そうと戻ってこねぇだろ」

「そ、そうだな」

松田の言うとおりだった。仲間がいたら、リスクを冒してまでビルに戻る必要はない。

松田はフッと笑った。

「班長、ガム持ってねぇか？　噛むと集中できる」

「……どいつもこいつも、もう班長じゃねぇんだがな」

とうに警察学校は卒業したというのに、同期の奴らはいまだに伊達を『班長』と呼ぶ。

伊達は苦笑いしながら、ポケットから取り出したガムを投げようとした。

そのとき――ドオォン！　頭上で激しい爆発音が轟き、ビルが揺れた。


すさまじい閃光と爆風が安室を襲った。塔屋の壁に吹き飛ばされ、頭を強く打った安室は、その場にずるずると倒れた。意識はあるものの、体が動かない。

ペストマスクの人物は、床に転がった安室の拳銃を拾った。そして銃口を向ける。

「ぐっ……」

体を動かせない安室は、逃げることもよけることもできない。絶体絶命だった。ペストマスクの人物がトリガーを絞っていく。死を覚悟した安室は目をつぶった。

パァン、と乾いた音が響く。

発砲音がしたのに、安室はどこも撃たれていなかった。不思議に思いながら目を開けると――ペストマスクの人物が銃を持ったまま突っ立っていた。銃を持つ手が震えて、ポロリと銃を落とす。非常階段の屋根の上に、拳銃を構えた諸伏が立っていた。

「ゼロ、無事か!?」

「ヒ、ヒロ……」

発砲音は諸伏がペストマスクの人物を撃った音だった。ペストマスクの人物は撃たれた右肩を押さえながら、諸伏を振り返る。そしてとっさに逃げ出した。諸伏が立て続けに発砲する。ペストマスクの人物は屋上の縁に向かって飛び込み、くるりと回転して屋上の下へと姿を消した。

「クソッ！」

追いかけようとする諸伏に、安室が「待て、ヒロ！」と声をかける。

「奴は手負いだ。あとは応援に任せよう」

立ち止まった諸伏はクッと歯噛みして、倒れている安室を振り返った。

「大丈夫か？　ゼロ」

「ああ、助かったよ。ヒロ」

屋上の床には、ペストマスクの人物の血が点々とあとを残していた。

松田は慎重に爆弾の解体を続けていた。タイマーは残り五分を切っている。

「少しでも揺すったり傾けたりすると、液体が漏れ出してドカンだ」

「タイマーの方は？」

ガムを噛む松田の代わりに、ミニライトを持った伊達がたずねる。松田は目の前にある色とりどりのコードを持ち上げた。

「攻めるとしたら、そっちなんだけどよ。トラップだらけで時間かかるぜ。コード切る順番を間違えただけで、やっぱりドカンさ」

松田が苦笑いしていると、非常階段に通じる扉から安室が諸伏に肩を抱きかかえられて入ってきた。

「ごめん、取り逃がしてしまったよ」

振り向いた伊達が、傷だらけの安室を見て「うお！」と目を丸くする。

「大丈夫か、ゼロ!?」

「心配ない。状況は？」

「こっちもあんまりよくねぇな」

松田は手を止めずに答えた。

「ここは俺に任せて周辺の人達を避難させてくれ」

「で、でも……」

安室を抱えた諸伏が躊躇すると、松田は前を向いたまま促した。

「いいから行け。あと三分だ。ガス漏れとか適当な理由で、このビルの周りから避難させろ」

「……わかった。行くぞ、ヒロ」

安室がうなずくと、諸伏も無言で小さくうなずいた。松田は伊達が持っているミニライトを取った。

「班長もだ」

「チッ。わかったよ」

松田がライトを口にくわえると、諸伏が「松田」と声をかけた。

「下で待ってるから」

「……約束はできねぇな」

作業に戻る松田を見届け、諸伏は安室達と共に部屋を出ていった。

部屋に一人残った松田は、それぞれピンクと水色の液体が入った二つのタンクに挟まれた空のタンクのカバーを慎重に取り外した。空のタンクの下部にはさらにいくつものコードがぎっしりと収められている。

爆破装置のタイマーが一分を切った。

松田はガムを噛みながら、絡み合ったコードをペンチで切った。

一本でも間違えたら終わりだ。でもゆっくり考えている時間はない。

残り三十秒──。

松田は再びコードを切った。あと一本切れば、爆弾は止まるはずだ。

どれだ、どれだ、どれだ。

絡み合ったコードを一本ずつ手に取り、慎重に選んでいく。

これだ──松田はコードの束を押し分け、奥にあるコードをパチンと切った。

すると、タイマーの数字が残り二秒で消えた。

「ふぅ〜、あっぶねぇ……」

一気に体の力が抜けて、がくりと頭を垂れる。

だが、ほっと息をついたのもつかの間、再びタイマーの数字が点いた。
2、1、0とカウンターが進み、ビーッと警告音が鳴る。
「なっ……！」

左右のタンクに入っていたピンクと水色の液体が、それぞれチューブの中を上がってきた。

「遠隔か⁉　クソッ！」

チューブを上がってきた液体は、真ん中の空のタンクに向かってゆっくりと流れている。タンクの中で二つの液体が混じったら、爆発する――！

松田は焦った。必死に考えを巡らせる。

「こんなとき、ハギなら……アイツなら何を……」

ふいに萩原のことを思い出した。爆発物処理班で共に戦い、爆弾処理に関して誰よりも長けていた萩原なら、こんなときどうする――。

(陣平ちゃん！　電話！)

松田の頭の中に、警察学校時代の萩原の姿と声がよみがえった。あれは公園でキャッチボールをしていたときだ。あのとき、水飲み場のパイプが壊れて――。

松田はハッとした。そして噛んでいたガムを取り出し、丸めて二つのチューブが連結する部分にガムを押し込む。

左右のチューブから流れてきた液体は、連結部分に押し込まれたガムで遮断され、混ざることはなかった。

松田はガムを押し込めた手を離し、フゥ……と息を吐いた。

「とっさに真似したらうまくいったぜ。墓参りのお礼かな……」

階段を下りてビルから出てきた松田は、その手に数珠を握りしめていた。ビルの前で待っていた安室達に気づき、数珠を上着のポケットにしまう。

安室は諸伏に肩を抱きかかえられながら、松田に近づいていった。伊達も続き、ビルの前で円陣を組んだ四人は手を上げる。パチンとハイタッチする小気味よい音が響いた。

＊＊＊

『……これが、四人がそろった最後の日の出来事さ』

受話器から聞こえてくる安室の声は、どこか寂しげだった。ガラスの向こうにいる安室はうつむいていて、その表情は見えない。

「その爆弾騒ぎの現場にいた外国人に、松田刑事は名刺を渡したんだね」

『ああ。渡すところを確かに見た』

「つまり、あの被害者はそのときの……」

コナン達の目の前で爆死した外国人男性は、三年前、松田刑事が名刺を渡した人物だった。

『間違いないだろうね』安室がうなずく。

『だけど、男が何者であったのかはわからない』

三年もの時を経て、再びその男が現れるとは思いもしなかった。しかも、亡くなった松田の名刺を持って——。

コナンはスマホで検索して出てきた三年前の記事を思い返した。

「その事件は、一切報道されていないよね。ガス漏れ事故で表向き処理された」

『公安が介入して、全ての情報を上が封印したんだ』

「回収された爆弾はどうなったの？」

コナンがたずねると、背後にいた刑事がノートパソコンを持ってきて、ネット記事を見せた。

〈倉庫で爆発　作業員五名死亡〉という見出しで、全壊した倉庫の写真が掲載されている。

「これって……」

『爆弾は解析のためシェルターの一つに運び込まれた。だが、成分などを解析する前に謎の爆発があり、関わっていた者は皆死んでしまった』

安室が詳細を伝えると、ノートパソコンを持っていた刑事がタッチパッドを叩いた。すると、コナンのスマホが鳴った。メールの着信音だ。

『捜査に必要かもしれないから、今回しか使えないけど風見の連絡先。それと、あのとき松田が解体していた爆弾の写真と構造、あと僕の同期四人が写った写真を送るよ』

コナンは送られてきたメールを開き、添付された写真を見た。

『左から諸伏、松田、伊達、僕を挟んで萩原だ』

写真は警察学校の門標の前で撮られたものだった。中央に立つ太眉の短髪男が安室と松田の肩を抱き、左端には中腰になって切れ長の涼しげな目で微笑む男、右端は襟足より長く伸びた黒髪と垂れ目が印象的な男が写っている。

(あれ？　この人どっかで……)

右端でポーズをとる男——萩原を、コナンはどこかで見たような気がした。

面識はないはずなのに、この顔には見覚えがあるような……。

『そろそろお別れの時間みたいだ』

受話器から声がして、コナンはスマホから顔を上げた。ガラスの向こうの安室は電話をサイドテーブルに置くと、ソファに座り込んだ。

『敵は想像以上に危険で手ごわい。君にも知ってもらいたくてね。僕はこのとおり身動きが取れない。健闘を祈る』
ソファに腰かけた安室が首輪を指したところで、コナンは目隠しをされて、再び視界が真っ暗になった。

5

翌日。クリスティーヌに誘われた蘭は、コナンや子供達を連れて渋谷のヒカリエにある結婚式場にやってきた。

ヒカリエの高層階にある結婚式場からは、ハロウィンの装飾で彩られた渋谷の街が一望できて、子供達は壁一面の大きな窓に張りついた。

「わ〜、すごーい！」

「この前来たときは、天気が悪くてよく見えませんでしたからね」

「あ、あそこ！　うまそうなもの売ってる店が見える！」

「え、どこどこ？」

村中やクリスティーヌと一緒にソファに腰かけた蘭は、申し訳なさそうに頭を下げた。

「騒がしくってすみません」

「にぎやかでいいですよ」

クリスティーヌは子供達を見てニッコリと笑う。隣の村中が少し前のめりになってたずねた。

「それより、毛利探偵の具合は？」

「意識も戻って、今朝この近くの病院に転院しました。痛み止めが切れて子供みたいに大騒ぎしていますけど……」


その頃、小五郎は病院のベッドで絶叫していた。

「ぎえええ！　痛あああい！　なんとかしてくれえぇぇぇ‼」

「大きな声出さないでください！」

暴れる小五郎を、看護師が慌てて押さえつける。痛み止めの点滴を確認した別の看護師は「おかしいわねぇ」と首をかしげた。

「もう麻酔が効くはずなんだけど……耐性でもあるのかしら？」

蘭から小五郎の様子を聞いて、村中とクリスティーヌはクスクスと苦笑した。するとそのとき、ババババ……とヘリコプターのローター音が聞こえてきた。

「あ、見て見て！　ヘリコプター近い！」

歩美の声に、村中達は窓の外に目を向けた。すぐそばの上空をヘリコプターが飛んでいる。

「ここヒカリエの屋上には、ヘリポートもあるんです。披露宴が終わった後は、ヘリで東京上空を周回する予定なんですよ」

村中の言葉に、歩美や光彦は目を輝かせる。

「えー、ステキ〜！」

「ロマンチックですよねー！」

そのとき、クリスティーヌのスマホが震えた。ポケットからスマホを取り出し「ちょっとごめんなさい」と立ち上がる。ソファから離れたところでスマホを耳に当てた。

「はい、どうしたの？　ええ……え？」

立ち止まって背を向けるクリスティーヌに、一同が注目する。

「あの、この後打ち合わせがあって……もしもし？　もしもし？」

相手に電話を切られたのか、クリスティーヌはスマホに何度も呼びかける。

「どうしたんだい？」

村中がたずねると、クリスティーヌは困った顔で振り返った。

「友達がどうしても渡したいものがあるんだけど、渋谷にいるから来てほしいって……」

「それは困るな。この後、司会をする方と打ち合わせがあるのに」

「そう言ったんだけど……」

村中とクリスティーヌの会話を聞いていた子供達は、顔を見合わせてうなずいた。

「ボク達が行ってきましょうか?」

「この近くなんだよね?」

「いや、しかし……」

光彦と歩美の提案に、村中が躊躇していると、元太が「任せてくれ!」と胸を叩いた。

光彦も決めのポーズを取る。

「子供だからと侮るなかれ!」

「依頼があればなんでも引き受けます!」

かわいく決めポーズを取る歩美の前で、元太が腰に両手を当てる。

「オレ達最強の小学一年生!」

「少年探偵団、参上!!」

声をそろえた三人は、ポーズもビシッと決めた。

(いつの間に最強になったんだよ……)

ソファに座っていたコナンは苦笑いしながら、心の中で突っ込んだ。

「……なら、お願いできるかしら」

スマホに届いたメールを確認したクリスティーヌは、子供達にお願いした。

「今、メールで地図をもらったから、紙に描くわね」

「は～い」

返事をする子供達に、村中は「すまないね」と申し訳なさそうな顔をした。蘭も心配そうにたずねる。

「みんなだけで大丈夫？　わたしも行ってあげたいけど、また病院に戻らなきゃいけないの」

「これくらい朝飯前だっつーの！」

自信満々の子供達に、クリスティーヌが「はい、これ地図」と紙を渡す。

「ありがとうございます！」と受け取る光彦のそばで、歩美はソファの方を見た。

「コナン君も……アレ？」

ソファに座っていたはずのコナンと灰原がいない。ドアの方を見ると、コナンと灰原が抜き足差し足でドアに近づいていた。

「どこ行くの？　コナン君、哀ちゃん！」

コナンと灰原がビクッと肩を跳ね上げる。

「ちゃんと場所確認してから行こうぜ」

「気が早いですね、まったく～」

クリスティーヌと一緒に笑う子供達を尻目に、コナンと灰原はガクリと肩を落とした。

「いや、逃げようとしてたんだけど……」

「やっぱりこうなるのね……」

クリスティーヌの友人が指定した場所は、渋谷の繁華街から少し離れた路地裏にあるビルだった。

「ここですね」

地図の紙を手にした光彦が、ビルを見上げる。

周りを高い建物に囲まれたその古いビルはなんだか薄暗く、一階はシャッターが下りていて、上の階の窓枠もペンキが剝げてボロボロになっている。

「な、なんか思ってたのと違うな」

いかにも怪しげなビルに、元太は眉をひそめた。コナンと灰原も、怪しいなと顔を見合わせてうなずく。

「でも間違いないですよ。ここの六階って……」

「とりあえず行こうぜ」

一同はシャッターの隣にある小さな出入り口に向かった。出入り口の先はすぐ細い階段になっていて、六階まで上っていく。

「……ここですね」

薄暗い廊下のところどころに古い段ボール箱が積まれ、その先に少し開いたドアがあった。

「すみませ〜ん。クリスティーヌさんに代わってプレゼントを受け取りに来た者ですけど」

「誰かいませんか〜」

その部屋はオフィスだったようで、事務机や事務機器が並んでいたが、長い間使われていないのか床にはごみが散らばり、机の電話は受話器がぶらんと垂れ下がっている。

「人の気配はしないな……」

コナンがつぶやくと、光彦は持っていたメモに目を落とした。

「プレゼントは覆われた布の中……」

「あれのことじゃねーか？」

元太が部屋の奥を指差した。

窓際の事務机の横に、大きな布で覆われた物が鎮座している。

「大きいね……」

予想外の大きさに、歩美が不安そうにつぶやく。

「オレが行く。お前達はここで待っててくれ」

コナンは一人で部屋の中へ入っていった。床まですっぽり布に覆われた物の前で立ち止まると、しゃがんで布をまくって中を覗く。

布は机をまるごと覆っていた。机の上に大きな箱が置いてあるのがわかる。箱をよく見ようと布をまくし上げると、スルリと布が外れた。

大きな箱があらわになったとたん、正面のカバーが突然開いて、ゴトンと床に落ちた。

箱の中に入っていたのは、ピンクと水色の液体が入った二つのタンクだった。タンクはチューブで中央の小さな空のタンクに繋がり、その下にはタイマーが置かれている。

「それがプレゼント？」

「なんだそれ？」

ドアの向こうでぽかんとする子供達とは逆に、コナンの顔がみるみる青ざめていく。

「これは……」

目の前にある物を、コナンは見たことがあった。安室から送られてきた写真だ。松田が解体していた爆弾とまったく同じだ。

「爆弾だ！　すぐ逃げろ!!」

「えぇっ!?」

コナンが叫んだとたん、ドアのすぐ横の壁についていた小型の機械のランプが点滅した。機械からはワイヤーが伸びていて、ドアの上端と繋がっていた。ワイヤーが巻き取られて、ドアがバタンと閉まる。

「扉が勝手に⁉」

「クッソ、開かねぇ！」

元太達が廊下側からドアノブを回すが、ロックされていてドアは開かない。

コナンは小型の機械を見て歯噛みした。

（やられた！　完全に罠だ……！）

プレゼントなんて最初からなかったのだ。ここに呼び出す口実だ。訪れた人を爆弾で殺すために――。

コナンは爆弾のタイマーを振り返った。

「爆発まで二分もない！　なんとかして脱出するから、先に下りててくれ‼」

「で、でも……」

扉の向こうで歩美が躊躇する。

「いいから早く行け‼」

コナンに一喝されて、子供達はビクッと肩を跳ね上げた。閉ざされたドアを見つめていた灰原が「行くわよ」と促す。

「えっ⁉」

「コ、コナンを置いていくのかよ！」

「今は江戸川君の言うことを信じるしかないでしょ。早く！　時間がないわ‼」

灰原は階段に向かって走り出した。

「クソッ……！」

悔しいが灰原の言うとおりだった。ここにいても自分達ができることは何もない。元太と歩美は灰原の後を追った。

「コナン君、必ず脱出してくださいね！」

光彦も声をかけて、走り出す。

「あぁ！」

部屋の中から返事をしたコナンは、スマホで爆弾の写真を撮った。そして窓際に置かれたソファに飛び乗り、窓を開ける。窓枠につかまり、身を乗り出して下を覗いてみたが、途中に下りられるような庇などもなく、地面まではかなりの高さがある。飛び降りるのはとても無理だ。

コナンは窓のすぐ横を通る排水管を見た。

(このパイプを伝っていけばなんとか……)

そのときふと、安室の言葉を思い出した。

『成分などを解析する前に謎の爆発があり……』

コナンは部屋を振り返って、爆破装置を見た。

(爆弾の構造はほぼ同じ……いけるか⁉)

爆破装置が置かれた机の周りには、蓋の開いたポットやハサミが落ちている。

コナンは上着を脱ぐと、ソファから飛び降りた。


「急いで!」

先頭で階段を下りていた灰原がビルの出入り口から外に出た。

「いったいどうなってんだよ、これ〜!」

続いて、元太達が出てくる。息を切らした子供達は、ビルを見上げた。

「江戸川君……」

そのとき、バリンと窓が割れる音がした。割れた窓から、何かが落ちてくる。

「なんだ⁉」

「何か落ちましたよ!」

子供達は落ちてきた物に近づいた。

「なんですか、これ？」

落ちてきたのは、大きな布だった。何かをくるんでいる。

光彦が布に手をかけようとしたとき、割れた窓からコナンが顔を出し、上着を投げた。

「みんな！　協力してくれ!!」

「コナン君！」

「どういうことだよ!?」

歩美と元太がコナンを見上げる中、灰原はハッと何かに気づいて、落ちてきた布の方を振り返った。光彦が布を広げて、くるまれていた物を取り出そうとしている。

「ポット？」

布にくるまれていたのは、電気ポットだった。

「それをどかして！」

「え？」

「必要なのはその布よ！」

灰原は布の隅を持ち、子供達にも布の隅を持つように指示した。

爆弾のタイマーが十秒を切った。

コナンは窓から身を乗り出し、パイプにつかまった。

「なるほど、そういうことか！」

灰原の意図がわかった元太は、布を持って立ち上がった。布を持った四人が四方に広がり、布を大きく広げる。

「江戸川君！　なるべく下におりてきて！　その高さじゃあ受け止めても助からないわ！」

「ああ！」

コナンはパイプにつかまりながら、返事をした。そして慎重に下りていく。

「爆発しちゃうよ！　急いで！」

「もっと早く！　何やってるのよ！」

「急いでください！　コナン君！」

「もたもた下りてんじゃねー！　アホー!!」

布を広げた子供達が騒いでせかしてきて、

「わかってるよ！」

コナンは半分切れながらパイプを下りていった。

そのとき、四階の窓からまばゆい閃光が放たれた。激しい爆発音と共に窓ガラスが吹き飛ぶ。

「江戸川君!!」

コナンは爆炎を噴き上げる窓のすぐ下で、パイプにしがみついていた。激しく燃え上がった炎がパイプを襲ったかと思うと、炎に包まれたパイプは留め具ごと外壁から外れて、どんどん傾いていく。

「うわあああああ!!」

コナンは外壁からどんどん引きはがされていくパイプに必死でしがみついた。このままではパイプごと地面に叩きつけられてしまう……! コナンは倒れていくパイプに足をかけてくるりと回り、パイプの上に立った。そして大きく湾曲したパイプの上を走る。

「うおおおおお——!!」

走るコナンの足元を、パイプが次々と継手から外れて落ちていく。コナンは落ちないように懸命に走った。が、ついに足元のパイプがバキッと外れて、真っ逆さまに落ちた。

子供達が広げていた布が、コナンを見事にキャッチした。コナンの体が大きくはずんで、布を持っていた元太の上に乗っかった。

「ぐへっ!」

元太はコナンごと倒れて、元太の腹にはじかれたコナンは地面へ落ちた。

「大丈夫ですか⁉」

光彦に声をかけられて、コナンは「あ、ああ……」と起き上がった。

「ありがとな」

お礼を言ったとたん、燃えたガレキが上から落ちてきた。ビルを見上げると、四階の窓から炎と黒煙がもうもうと噴き上げ、火の粉が降りかかる。

灰原がむくりと立ち上がった。

「早く逃げるわよ！」

「は、はい！　元太君、起きてください！」

光彦と歩美が元太の両手を引っ張って起こすと、コナンはビルの方へと走り出した。

「江戸川君⁉」

「コナン君！　早く行きますよ！」

コナンは転がっていた電気ポットの持ち手をつかむと、抱えて走った。途中で上着も拾い、子供達と一緒にビルから離れていく。

通報を受けた消防車がサイレンを鳴らしてすぐに駆けつけ、放水作業を始めた。普段人通りの少ない通りには大勢の野次馬が集まり、規制線が張られた。

規制線の中で、コナン達は改めて燃え盛るビルを見上げた。

「あ、危なかった……」

「間一髪でしたね……」

「コナン君、無事でよかった！」

歩美は涙目でコナンに抱きついた。二人の後ろで、元太と光彦がショックを受けている。

「コナン君！　みんな！」

規制線の方から声がして、コナン達は振り返った。警官に警察手帳を見せている目暮の後ろで、蘭が手を振っている。

「蘭姉ちゃん！」

「ケガはない？　みんな無事⁉」

みんなの元に駆け寄ってきた蘭は、心配そうな顔で訊いた。

「うん、なんとかね」

コナンがうなずくと、目暮が佐藤と高木を引き連れて近づいてきた。

「爆弾が仕掛けられていたって本当かね⁉」

「本当です！」

「本当だよ！」

「本当だって!!」

光彦、歩美、元太が一斉に答えて、同時に説明しはじめた。

「怖かったです！　コナン君が閉じ込められてどうなるかと思ったんですけど、パイプを伝って下りてきたんですよ」

「変な機械が置いてあって、コナン君が『爆弾だ！』って言ったら扉が閉まって、みんな逃げてって……」

「コナンが上から脱出しようとして布を広げてよー。落ちてきたところを四人で受け止めて助けたんだ。スゲーだろ！」

「ちょ、ちょっと、そんないっぺんにしゃべらないで。一人ずつちゃんと聞くから……」

高木達が対応している後ろで、誰かが規制線をくぐり抜けて中に入ってきた。風見だ。

突然、ポケットに入れていた風見のスマホが震えた。風見は立ち止まり、ポケットからスマホを取り出して画面を見た。

〈ポットの中身と上着に付いた液体の分析をしてくれない？〉

それはコナンからのメッセージだった。刑事達に説明している子供達のそばで、コナンが風見の方を見ていた。コナンのそばには電気ポットと上着が置いてある。

風見はコナンを見て、小さくうなずいた。

規制線の後ろでは、集まった野次馬達がスマホでビルの写真を撮っていて、その中に外国人女性がいた。警視庁前で起きた外国人焼死事件のときにもいた女性だ。その女性は燃えたビルを一瞥すると、すぐにその場を去っていった。

コナンが目暮達に連れられて渋谷中央警察署に行くと、会議室に村中とクリスティーヌが青ざめた顔でやってきた。

「本当に無事でよかった。火事になったところが、君達が向かったビルだと聞いたときは、さすがに血の気が引いたよ」

「怖かったけど、排水管を伝って下りたんだ」

コナンが説明すると、村中は「はぁ〜、すごいな」と胸をなでおろした。

「俺より勇気があるね」

と小声で言われて、コナンはハハハ……と愛想笑いした。クリスティーヌは村中の後ろで体を震わせていた。今にも泣き出しそうな顔をしている。

「クリスティーヌさん。ボク達は大丈夫だから。そんなに思い詰めないで」

コナンが声をかけると、村中に肩を抱かれたクリスティーヌは「……ありがとう」と絞り出すように言った。

「コナン君の話によると……」

佐藤が手帳を見ながら説明しはじめた。

「タイマー式の爆弾がいきなり作動し、部屋の扉が閉められたと……」

佐藤が確認するようにコナンを見る。コナンは小さくうなずいた。

「入ってきた人間を確実に殺害するつもりだったのでしょう」

高木の説明を聞いて、クリスティーヌは身を震わせた。目暮が「それで」とクリスティーヌに目を向ける。

「クリスティーヌさんに連絡してきた招待者というのは？」

「……確認してみたのですが、そんな連絡をした覚えはないと……」

クリスティーヌは目暮を見て首を横に振った。

高木が目暮の方を向いた。

「現場周辺の聞き込みをしてきます。爆弾を運び込んだ者を見ている人がいるかもしれません」

「それならもう大丈夫だ。すでに千葉がやっている」

千葉刑事は所轄の警官と、爆発現場の近くで聞き込みをしていた。

「渋谷といっても、このあたりは人通りも少なくて……」

所轄の警官が言うとおり、小さなビルが立ち並ぶ裏通りはほとんど人が歩いておらず、千葉はやれやれと頭を抱えた。

「目撃者は期待薄ですか……」

すると突然、路地から外国人の男がよろよろと出てきた。話していた二人の背後で、うう……と倒れ込む。

「え、ちょっと……大丈夫ですか？　どうしました？」

駆け寄った警官は男の前で膝をつき、男の背中に手をかける。ふと人の気配を感じて路地を見ると、ジャック・オ・ランタンのかぶり物をした人物がバットを振り上げていた。

ジャック・オ・ランタンは、警官の首元にバットを振り下ろした。ゴッと鈍い音がして、警官がその場に倒れる。

「な…！　何をするんだ!?」

ジャック・オ・ランタンは驚いている千葉に目を向けると、いきなりバットを振り上げて突進してきた。千葉はグッと顎を引いて構えた。そして向かってきたジャック・オ・ランタンの腕をつかんで、背負い投げをした。鈍い音と共に、ジャック・オ・ランタンは地面に背中から激突する。

ふう……と千葉が息をついたとき、背後で誰かが立ち上がる気配がした。振り返った瞬間、腹を衝撃が襲う。倒れていた男が、千葉の腹に拳をぶち込んだのだ。

千葉はずるりとその場に崩れ落ちた。その横で、ジャック・オ・ランタンがむくりと起き上がり、かぶり物を外す。

ジャック・オ・ランタンをかぶっていたのは、外国人の若い男だった。男は千葉を殴った男と一緒に、気絶した千葉を見下ろした。

渋谷中央警察署の会議室で、目暮達はクリスティーヌと村中を聴取した後、電話を一本入れた。

「鑑識からの報告はまだか？ ……ああ、そうか。また何かわかったら連絡をくれ」

長い事情聴取を受けたクリスティーヌは、テーブルに片ひじをついて頭を押さえていた。

隣に座った村中が「目暮」と声をかける。

「すまんがそろそろ帰らせてくれないか？ 彼女が相当まいっている」

「ああ、これはすまない」

電話を切った目暮は「クリスティーヌさん」と声をかけた。

「事情聴取も終わりましたので、帰っていただいて大丈夫です」

「はい……」

クリスティーヌはかすかにうなずいた。

「立てるかい？」

「ええ……」

村中はクリスティーヌの肩を抱いて立ち上がらせた。目暮達のそばで立っていたコナンは、村中に支えられながら歩いていくクリスティーヌを見送りながら、仕掛けられた爆弾のことを考えた。

（あれは三年前、安室さん達が解除したものによく似ていた。爆弾にはそれを作った者の個性が出るという。二つの事件は同一犯の可能性が高い……）

村中とクリスティーヌが部屋を出ていき、高木はドアを閉めた。閉められたドアを見つめながら、目暮がつぶやく。

「彼女には心のケアが必要かもしれんな」

「そうですね……」

高木があいづちを打つ。そのとき、佐藤のスマホが震えた。

「千葉君からだわ。もしもし？」

電話に出た佐藤は「えっ」と短い声を上げ、青ざめた顔でスマホを耳から離した。そしてスマホをテーブルに置くと、スピーカーボタンをタップした。

『もう一度言う。千葉刑事の身柄は預かっている』

スマホから変声機を通したような無機質な声が聞こえてきて、一同は「えっ!?」と目を見開いた。

『無事に返してほしければ、松田陣平刑事を連れてこい』

「松田刑事!?」

高木は思わず身を乗り出した。

「目的はなんだ？　千葉君は無事なんだろうな!?」

目暮が問い詰めると、『また連絡する』と電話が切られた。プー、プーと終話を告げる音が鳴る。

「連れていきたくても、彼は……」

眉をひそめる目暮のそばで、コナンは顎に手を当ててうつむいた。

(犯人の目的はなんだ？　どうして今ごろ松田刑事を……)

犯人は彼の殉職を知らないのだろうか——コナンは松田が殉職した爆破事件を思い返した。

確かにあの爆破事件は警察官が殉職したと報道されただけで、松田個人の名前は世に出ていない。

（逆に言うと、彼の死を犯人に知られてしまった場合……）

考え込むコナンのそばで、目暮も頭を抱えていた。

「いったいどうすれば……このままでは千葉君の命が……」

すると高木がおずおずと手を挙げた。

「あのぉ、僕に考えがあるんですけど……」


爆発現場から電気ポットとコナンの上着を回収した風見は、安室がいる地下シェルターを訪れていた。

『捜査一課の刑事が拉致されるとは、さすがに予想外だったね』

と言いつつも、特殊強化ガラスの向こうにいる安室は冷静な顔をしている。風見は受話器を耳に当てながら、スマホの画面を安室に向けた。コナンが撮った爆弾の画像が表示されている。

「コナンという少年が撮影したものです。これを見る限り、三年前の爆弾と非常に似ています」

『同一犯ということか……』

「奴についての資料はもう手元に？」

風見がたずねると、安室はサイドテーブルに置かれたファイルを手に取った。

『上層部が重い腰を上げてくれてね。さっき届いたよ。コナン君が採取した液体火薬は？』

「現在、分析中です。終わり次第、中和剤の製作に取りかかります」

『命がけで採取してくれたんだ。無駄にはできない』

厳しい目を向けられた風見は、安室がコナンという少年を特別視していることを改めて感じた。

「……これからどうしますか？」

『一課と協力して拉致された刑事を無事取り返すんだ。我々の持っている情報は全て開示して構わない』

「わかりました」

風見がうなずくと、安室は受話器を置いた。ソファのひじ掛けに手をかけ、去っていく風見を見送る。

（とりあえずこちらも手を尽くした。さぁ、君はどう動く？）

渋谷中央警察署の会議室に残っていたコナンは、ドアのそばで考え込んでいた。その前で、佐藤がファイルをテーブルに思いきり叩きつける。

「本気なんですか⁉　危険すぎます‼」

沈黙を続ける目暮に、佐藤はせき立てた。

「敵が何者なのか人数もわからないんですよ⁉　そんなところに彼一人で――」

「危険は承知の上だ」

ようやく目暮が重い口を開く。

「だが隠しマイクも発信器もつける。何かあればすぐに我々が駆けつけられるように……」

「間に合わなかったらどうするんですか⁉」

目暮に詰め寄った佐藤は、険しい表情でうつむいた。

「もしまた、三年前のときみたいに……」

「佐藤君！」

目暮が止めようとしたとき、ドアがカチャリと開いた。

「大丈夫ですよ。自分、わりと悪運強いんで」

会議室に入ってきたのは、天然パーマ風のかつらとサングラスで松田に変装した高木だった。

高木はサングラスを外して、不安げな顔を向ける佐藤に言った。

「この状況で千葉を助けられるのは、僕だけなんですから」

それはそうだけど――佐藤は松田に扮した高木を見た。

高木が提案した作戦しか、千葉を救出する方法はなかった。頭では理解している。けれど、その作戦でもしかしたら……。思わず最悪な結末を想像した佐藤の瞳に、高木が映った。その後ろには、大きな鎌を振りかぶった死神がいる――。

スマホを見ていた目暮が、顔を上げた。

「今、公安の風見君から捜査協力の申し出があった。ここからは公安と合同で動くことになる。なんとしてでも千葉を無事に取り返すぞ！」

「はい！　行きましょう！」

うなずいた高木は、目暮と一緒に部屋を出ていった。そのとき、会議テーブルから資料の紙がひらりと落ちる。

「……絶対に死なせたりしないから」

会議室に残った佐藤は、ドアに向かって決意をつぶやいた。

「ねえ、佐藤刑事」

コナンは床に落ちた資料を拾い、佐藤に見せた。

「これって警視庁の前で起きた爆破事件の証拠品？」

「ええ、そうよ。後で植え込みの中で見つけたらしいの。何かのメモかしらね」

資料には、端が焦げた紙片の画像がプリントされていた。紙片には『￥』のようなマークが書かれている。

（これってあのとき、灰原があの外国人に渡してたメモだよな……）

外国人の男性は『ある人に伝えたいとても大事なメモなんだ』と灰原に言っていた。ある人というのは、おそらく会いに行こうとしていた松田のことだろう。

（これが、松田刑事に見せたかったメッセージ……？）

メモを見ていたコナンは、首をひねった。


千葉を襲った外国人の二人組は、渋谷のとある地下施設に来ていた。気絶している千葉を椅子に座らせ、体を背もたれにロープで括りつける。

その薄暗く広い場所には、仲間が一人いた。仲間は変声機をつけたスマホを持ち、ロシア語で話しはじめた。

「とりあえず松田刑事がここへ来るよう電話を入れた」

ジャック・オ・ランタンのかぶり物を持っていた男は怪訝そうな顔をしてたずねた。

「本当に大丈夫なのか？」

「我々が奴を追い詰めるには、この方法しかない。拒否すればコイツが死ぬ」

仲間はそう言って、縛られている千葉を振り返った。


捜査協力を申し出た風見は、目暮達を渋谷中央警察署の地下にある会議室に呼んだ。

そこは公安の会議室だった。広々とした円形の部屋には大きなスクリーンがあり、それを囲むように階段状の座席と机が並んでいる。

「渋谷中央警察の地下にこんな施設が……」

部屋に入った高木は、キョロキョロと見回した。その隣で佐藤が、演壇に立っている風見をにらみつける。

「それで、こんなところに集めてどうしようっていうの？」

「情報交換だ」

「へえ、フルヤという男に会わせてくれるの？」

佐藤がけんか腰でたずねると、風見は「それはできない」と首を横に振った。

「彼は今、隔離された施設にいる。首に爆弾をつけられているので」

佐藤達は「えっ」と目を見張った。風見は無言でリモコンのボタンを押した。照明が消えて、風見の後ろのスクリーンに一人の男のマグショット（逮捕写真）が映し出された。

男の写真を見た佐藤の顔が強張る。スクリーンに映るその男は、松田を爆死させた連続爆弾犯だった。

「先月、君達が逮捕した連続爆破犯が、何者かの手引きにより脱走した。降谷はこの男を追跡中、何者かに襲われ、首輪型の爆弾をつけられた」

「……それで、逃走した男は？」

高木がたずねる。

「降谷がつけられたものと同型の爆弾が爆発し、死亡した」

「そんな……」

佐藤は思わず声をもらした。松田を殺した犯人が、死んだ。殺したいほど憎くて拳銃を向けた男が、あっけなく死んでしまった――。

風見は動揺する佐藤を気にも留めず、話を続けた。

「一連の動きは何者かによる罠だと、我々は見ている。降谷を誘い出すための」

そう言うと、演台に置かれたパソコンを操作した。マグショットを映していたスクリーンが、別の写真に切り替わった。燃えてボロボロになった首輪爆弾の写真だ。

「分析の結果、首輪爆弾には二液混合式の特殊爆弾が使われているとわかった。同種の爆弾は三年前の事件にも使用されている」

スクリーンには当時の爆弾や雑居ビルの写真が映し出された。ふむ、と目暮がうなずく。

「で、いったい何者なんだ？　君らは突き止めているんだろう？」

スクリーンに目を向けていた風見は、目暮の方を見た。

「正体不明の殺し屋だ。国籍、性別、年齢全て不明。世界中で活動しているが、活動拠点はロシアで、『プラーミャ』と呼ばれ恐れられている」

風見の説明が終わると、コナンが「ねぇ」と机の間からひょこっと顔を出した。

「『プラーミャ』ってロシア語で『炎』って意味だよね。その人の使う爆弾って、爆発するとどんな感じになるの？」

風見は信じられないといった顔つきで、コナンを見つめた。

「……その少年もここに連れてきたんですか？」

「怪しげな爆弾を二度も見た目撃者ですから、連れてきた方が早いかと思いまして……」

佐藤が答えると、風見は小さく息をつく。

「それで、爆弾はどんな感じなの？」

コナンに訊かれた風見は、スクリーンの方を向いた。

「燃焼力、爆発力共に非常に強い。液体が混じり合った瞬間、爆発し一気に燃え広がる。」

「それって、ボクらが見た外国の人のときとよく似てるよ」

「あの警視庁前で殺害された？」

佐藤がたずねると、コナンは「うん」とうなずいた。

「持っていたタブレットから一気に爆発したんだ」

「それってつまり、あの外国人を殺したのも、プラーミャってこと？」

高木の問いに、コナンは再びうなずく。すると、目暮が机に手をついて身を乗り出した。

「だがなぜ、わざわざ警視庁の前で？」

「そういえば、被害者がなぜ警視庁を訪ねてきたのかも不明なままね」

佐藤が考え込んでいると、コナンは演壇に近づき、パチンと指を鳴らした。

「ヒントはこの名刺じゃない？」

スクリーンには外国人が持っていた焦げたバッグと、端が焦げた松田の名刺が映し出されていた。

「松田君……？」

「あの外国の人、松田刑事に会いにきたんじゃない？　リスクを冒してでも松田刑事の協力が必要だった」

鋭い目を向けるコナンの推理を聞いて、目暮達の頭の中で点と点が線で繋がった。

「それはつまり……」

「あの被害者と今回千葉君を拉致した犯人は……」

「なんらかの繋がりがある」

三人の言葉に、コナンはうなずいた。

黙って聞いていた風見は、手元のパソコンを操作した。

スクリーンに、鎮火された渋谷の雑居ビルの写真が映った。

「今日の雑居ビル爆破事件だが、それにもプラーミャが使う特殊爆弾が使用された可能性が高いとのことだ」

真っ黒に焦げた爆弾の残骸と、三年前の爆弾の画像がスクリーンに映し出された。

それらを見て、佐藤が推理する。

「コナン君達がやってきたのは、プラーミャにとっても予想外のことだった。本当はそこで村中夫妻を……」

「アイツの結婚式には脅迫状が来ていた。やはり、プラーミャの狙いは村中夫婦……」

目暮はそう言うと、うなだれるように椅子に腰かけた。高木が目暮に一歩近づく。

「ただ、外国人焼死事件や千葉の拉致とどう関わってくるのか、まだわかっていません」

コナンは「それに」と続いた。

「プラーミャは降谷って人の消息だって知っているくらいだから、きっと松田刑事の殉職も知っていると思うけど」

演台に立った風見はコナンをじっと見つめていた。その頭上には監視カメラがある。

コナンは「ねぇ」と風見に話しかけた。

「その降谷って人の同期のうち、四人は亡くなっているんだよね？　松田刑事と、爆発物処理班の萩原隊員は爆発物解体中に、伊達刑事は交通事故……」

複雑な表情で聞いている佐藤の隣で、高木の脳裏に伊達の豪快な笑顔が浮かぶ。

「諸伏って人はどうだったの？」

聞いたことのない名前に、佐藤と高木は、「諸伏……？」と顔を見合わせた。


監視カメラの映像と音声は、地下シェルターに隔離された安室の元にリアルタイムで届いていた。ガラスの向こうに置かれたノートパソコンで、映像を見る。

『諸伏って人はどうだったの？』

持っていた受話器からコナンの声が聞こえてきて、安室は悲しげに目を伏せた。

諸伏の最期の姿は、今も目に焼きついている。彼は安室と同じく組織に潜入し、正体がばれて自決したのだ――。

「申し訳ないが、それは極秘扱いだ」

風見が答えると、佐藤は嫌味っぽく言った。

「相変わらず秘密主義なのね」

「これだけは言える。今回の事件とは無関係だ」

「それを信じろと？」

噛みつく佐藤に、目暮が「まあ待て」と椅子から立ち上がる。

「今は千葉君の救出が最優先だ。高木君はこの爆弾の解体方法を頭に叩き込んでおけ。解析してるんだよな？」

目暮がたずねると、風見はうなずいた。「すぐ資料を用意する」

「わ、わかりました」高木は神妙な面持ちでうなずいた。が、すぐにへなへなと椅子に座り込む。「……と言いたいんですが、実は僕、科学・工学系が全然ダメで、その上不器用なんですよ」

佐藤は驚いた顔をして高木を見た。

「それでよく松田君になろうだなんて……」

「あのぉ、具体的に松田さんって、どんな感じの方だったんですか？」

高木が苦笑いしながらたずねると、佐藤は「うーん」と顎に手を当てて考えはじめた。

「……ワイルドだけど意外に優しくて、柴犬とドーベルマンを足して二で割った感じかな」

「はい？」

高木が眉をひそめると、机に置いていた佐藤のスマホが震えた。佐藤、高木、目暮が同時に目を向ける。佐藤はスマホを手に取った。千葉のスマホからの着信だ。高木と目暮の方を向いてうなずくと、応答ボタンとスピーカーボタンをタップした。

「もしもし？」

『松田に代われ』

変声機を使った無機質で抑揚のない声だった。

「その前に千葉君の声を聞かせてくれない？」

『松田に代わるのが先だ。ぐずぐずしていると、この刑事の声が永遠に聞けなくなるぞ』

佐藤は仕方なく高木の前にスマホを置いた。高木は再びサングラスをかけ、机に置かれたスマホに向かって言った。

「もしもし？」

『これからしばらく言うとおりに動いてもらう。すぐにミヤシタパーク前へ向かえ。また電話する』

電話は一方的に切れた。プー、プーと終話を告げる音が響く。

「……行こう」

高木が立ち上がると同時に、照明が点いて部屋が明るくなった。風見が演台を下りて、目暮達に近づく。

「君達は面が割れている恐れがある。尾行には我々公安の捜査員を使う。高木刑事以外は離れたところでモニターで確認を」

それだけ言うと、風見は足早に部屋を出ていく。残った目暮達は、不満げな顔で風見を見送った。捜査協力を申し出てきたのは公安のはずなのに、いつの間にか風見が捜査の指揮を執っていた。

6

渋谷駅から原宿駅へ続く線路沿いにあった宮下公園——その跡地にできた低層複合施設がMIYASHITA PARKだった。商業施設やホテルがある全長約330メートルの建物の屋上には芝生が張られた広い公園があり、子供連れや若者達が集まっている。

松田に変装した高木は、ミヤシタパークの渋谷駅に近い南街区のエントランス付近に来ていた。サングラスをかけ、ネクタイを緩めたスーツ姿で無造作にポケットに手を突っ込んでいる。さりげなく空を見上げるふりをして、街頭に設置された防犯カメラを確認した。

「どうだ。不審な者はいないか？」

風見は、人通りの少ない路地に停めたワゴン車の中から、無線機でミヤシタパークにいる部下に呼びかけた。移動販売車を装ったワゴンはバックドアが開いていて、カーテンが掛かっている。車内には、目暮、佐藤、白鳥、そしてコナンがいた。

『いえ、今のところは何も』

「気を抜くな。どんな相手で何人いるかもわからない」

『了解しました』

車内前方のモニターは小さく分割され、いくつもの防犯カメラの映像が映っていた。防犯カメラを見上げる高木の姿もある。

目暮や佐藤が心配そうにモニターを見つめる中、コナンはバックドアからこっそり出た。

高木は大勢の人が行き交うミヤシタパークのエントランス前に立っていた。近くではハロウィンのコスプレをした若者がティッシュを配っている。

高木はサングラスの下で目をキョロキョロ動かして、周囲を見回した。観光客や買い物客ばかりで、不審な人物は見当たらない。

犯人はどうしてこんな人が多いところに呼び出したのだろう。また電話すると言っていたが――。

「トリックオアトリート！　トリックオアトリート！」

突然、高架下のトンネルの方から声がした。振り返ると、黒のマントにジャック・オ・ランタンのかぶり物をした集団がぞろぞろと歩いてくる。

「トリックオアトリート！　トリックオアトリート！」

さらに別方向にあるビルのエスカレーターにも、同じ格好をした集団がいた。叫びながらエスカレーターを下りてくる。

「トリックオアトリート！　トリックオアトリート！」

背後からも声がして、高木は振り返った。すると、渋谷駅の方向からも、ジャック・オ・ランタン集団が向かってくる。

「トリックオアトリート！　トリックオアトリート！」

三方向からやってきたジャック・オ・ランタン集団は、徐々に高木の周りに集まってきた。そして、一斉に持っていたカゴからお菓子をばら撒いた。

「トリックオアトリートォ――!!」

「わぁ、お菓子だ〜！」

「ちょーだーい！」

周りにいた子供達が目を輝かせて走り出す。

「あ、あれ！　新商品の！」

「タダでもらえんの!?」

ミヤシタパークのエントランスにいた女子高生達も、ジャック・オ・ランタン集団がばら撒いている菓子を目ざとく見つけ、階段を駆け下りる。

裏通りの路地に停めたワゴンで防犯カメラの映像を見ていた風見達は、突然現れたジャック・オ・ランタン集団に首をかしげた。

「なんだ?」

「ハロウィンのイベント?」

高木の周りに寄ってきたジャック・オ・ランタン集団が菓子をばら撒き出すと、周囲を歩いていた人々が一気に集まってきた。

「ハロウィンのイベントだと!? 聞いてないぞ!」

「早くやめさせろ!」

佐藤達はモニターを注視した。ミヤシタパークのエントランス前は、ジャック・オ・ランタン集団と菓子目当ての人達が入り交じって、大変な騒ぎになっていた。

高木はその中心にいた。菓子を投げるジャック・オ・ランタン集団に囲まれている。すると、ジャック・オ・ランタンの一人が高木に忍び寄り、耳のイヤホンを取った。別のジャック・オ・ランタンが、高木の頭に自分達と同じかぼちゃのかぶり物をかぶせ、マントをつける。

「あ!」

佐藤達が声を上げると、風見はヘッドセットに叫んだ。

「何をやっている！　早く高木巡査部長の元へ！」

『それが……人が多すぎて……』

「急げ！　見失うぞ！」

モニターの映像は、ジャック・オ・ランタンのかぶり物をかぶった人だらけになった。

これではどれが高木なのかわからない。

「もう我慢できない！」

佐藤は立ち上がり、バックドアに向かった。

「ま、待て！」

風見が止めるのも聞かず、車から飛び出した。


コナンがミヤシタパークに着くと、エントランス前はジャック・オ・ランタン集団と一般客でひしめき合っていた。さらにどんどん人が集まってきている。

菓子をばら撒くジャック・オ・ランタン集団に駆け寄る人々の向こうで、三人のジャック・オ・ランタンが扉の奥へ入っていくのが見えた。

人々が去ったミヤシタパークのエントランス付近には、踏まれて粉々になったお菓子があちこちに落ちていた。佐藤達はジャック・オ・ランタン集団を捕まえて事情を聴いた。ジャック・オ・ランタンのかぶり物をしていたのは、皆若者だった。

「……それで、アルバイトでイベントに協力してくれないかと？」

佐藤がたずねると、かぶり物を持った若者は「ええ」とうなずいた。

「お金をはずむから、少しの間だけ協力してくれって……」

「佐藤警部補」

風見が高木の尾行をしていた部下と共にやってきた。「これを見てくれ」と手の中の壊れた発信機を見せる。

「高木巡査部長がつけていた物だ」

バシッ。言い終わると同時に、佐藤の平手打ちが風見の頬に飛んだ。すさまじい形相で風見をにらみつける。

「警察犬を連れてきて、においを追跡します。よろしいですね？」

「……ああ」

風見がずれたメガネを直しながら返事をする前に、佐藤は歩き出していた。

三人のジャック・オ・ランタンが扉を開けて中へ入っていくのを目撃したコナンは、こっそり後を追いかけた。

扉の先には下りる階段があり、地下鉄の線路に通じていた。コナンが柱の陰から覗くと、三人のジャック・オ・ランタンは線路脇の人一人がやっと通れるような狭い通路を歩いていた。真ん中のジャック・オ・ランタンは、後ろのジャック・オ・ランタンに銃を突きつけられ、両手を上げながら歩いている。

やがて三人は通路脇にある階段を下りていった。階段の先には扉があり、先頭のジャック・オ・ランタンは二人が入っていくと、外側で扉を閉めた。

コナンは柱の陰から飛び出して、線路を渡った。そして通路に上ると、すぐに壁に背中をつけて腕時計型麻酔銃のツマミを押した。

扉を閉めたジャック・オ・ランタンはかぶり物を取り、フゥーッと息をつく。コナンはジャック・オ・ランタンの前にすばやく飛び出て、麻酔銃を撃った。

階段を下りていくと、その先に扉があった。ジャック・オ・ランタンのかぶり物をした高木は再び背中に銃を突きつけられ、扉を開けた。

かぶり物のくり抜かれた目の部分から見えてきたのは、とてつもなく広い要塞のような空間だった。縦横無尽に組まれた巨大な鉄骨がどこまでも続いているその場所は、ひんやりとした空気が体を取り巻く。

「地下貯水槽……」

高木は思わずつぶやいた。ここは渋谷の地下にある、雨水の貯留施設だ。

立っている鉄骨階段から視線を落とすと、銃を持つジャック・オ・ランタンがあちこちに立っていた。みんな高木に注目している。

巨大な鉄柱の元には、椅子に縛られて首を垂れている千葉がいた。

「かぶり物を取れ」

千葉のそばにいる、一人だけトンガリ帽子をかぶったジャック・オ・ランタンが言った。

「やれやれ。とんだハロウィンだ」

高木は、かつらが取れないように慎重にかぶり物を持ち上げた。

(柴犬とドーベルマン、柴犬とドーベルマン……)

心の中でつぶやきながら、キリッとした顔つきになる。

「松田刑事ね」

トンガリ帽子のジャック・オ・ランタンは、かぶり物の下から現れた高木の顔を確認して言った。

「千葉の無事を確認させせ――」

「こちらへ来なさい」

言い終わらないうちに命令された高木は、持っていたかぶり物を手から離した。かぶり物が階段の下に落ちて、ゴン！　と大きな音を立てる。

その音に、千葉が「うっ……」とわずかに反応した。

(麻酔か何かで眠らされているだけか……)

「こちらへ来なさい」

千葉の無事を確認した高木の頭に、後ろから銃が突きつけられた。

「わかった、わかった。んじゃあ聞かせてもらおうか。こうしてまで俺を呼びつけたわけをよ」

高木は松田を装いながら、階段を下りた。

「手荒なことをして悪かった。お詫びする」

軽く頭を下げるトンガリ帽子のジャック・オ・ランタンに、高木は鼻先でせせら笑った。

「刑事を拉致って、どの口がそれを言うかね」

高木が言うなり、後ろにいたジャック・オ・ランタンが銃で高木の頭を押してきた。

「撃てんのかい？　俺を殺せばここまでの苦労が水の泡……そうだろ？」

「**銃を下ろして**」

トンガリ帽子のジャック・オ・ランタンにロシア語で命令されて、高木の後ろのジャック・オ・ランタンは、チッと舌打ちをしながら銃を下ろした。

「松田刑事」

トンガリ帽子のジャック・オ・ランタンが日本語で呼びかける。

「わかってくれとは言わない。だが、我々にはもうこれしか手がないのだ」

麻酔銃で入り口にいたジャック・オ・ランタンを眠らせたコナンは、扉を開けて階段を下りた。そしてその先の扉をこっそりと開ける。すると、鉄骨階段越しに高木の姿が見えた。その前には椅子に縛られた千葉と、トンガリ帽子をかぶったジャック・オ・ランタンがいる。

高木と対峙したトンガリ帽子のジャック・オ・ランタンは、そのかぶり物に手をかけた。

「おい、何をしてる！　エレニカ！」

高木の後ろで銃を持ったジャック・オ・ランタンがロシア語で叫ぶ。

ジャック・オ・ランタンのかぶり物の下から現れたのは、透き通るほど白い肌をした若い外国人女性だった。

「私はエレニカ・ラブレンチエワ。『プラーミャ』を追ってロシアから日本に来た」

整った顔立ちの中で、猛獣のように鋭い目が光る。そばにいたジャック・オ・ランタンが慌てて歩み寄った。

「エレニカ、どういうつもりだ⁉　顔をさらし名前まで――」

「奴をこの手で捕まえるためにだ」

エレニカはロシア語でそう言って、マントを取った。そして松田に変装した高木を鋭い目で見つめる。高木はフッと口角を上げた。

「なるほど。そこまでされちゃあ話を聞かないわけにはいかねぇな」

そう言って、マントを取る。

扉の隙間から覗いていたコナンは、犯人追跡メガネのズームを調整すると、つるのボタンを押して、高木達の映像を発信した。

佐藤の要請を受けて、捜査員は警察犬を連れてミヤシタパークに出動した。数匹の警察犬が、菓子が散らばったエントランス付近を懸命に嗅いでいる。

警察犬を連れた捜査員は、佐藤と目暮の前で険しい顔をした。

「難しいですね。かなりたくさんの人が集まったのとお菓子の匂いが邪魔をして……」

「一刻も早く追わねばならんのに……」

そのとき、焦る目暮の横で佐藤のスマホが震えた。公安の車にいる白鳥からの着信だ。

「もしもし？」

佐藤が出ると、いきなり白鳥の興奮した声が聞こえてきた。

『場所がわかりました！　地下貯水槽です！』

「なんですって⁉」

「発信元は不明なんですが、突然、監視画面に映像が入り込んできたんです！」

素顔を現したエレニカは、鋭い目を高木に向けながら、話しはじめた。

「プラーミャは特殊な液体火薬を使う恐ろしいテロリストだ。奴の手によって殺された者は数知れず。私の家族もまた、奴に殺された」

そう言って視線を落としたエレニカは、周囲で銃を下げているジャック・オ・ランタン達を見回した。

「ここにいる者は皆、あの忌まわしい爆弾によって家族や大切な人を殺された者達だ。そしてプラーミャへの復讐を誓い、共に立ち上がった同志だ」

エレニカは、先ほど声を上げたジャック・オ・ランタンを見た。

「グリゴーリー」

「……わかったよ」

名前を呼ばれたジャック・オ・ランタンは観念したようにかぶり物を取った。千葉をバットで殴った男だ。

「みんなもだ」

グリゴーリーがロシア語で言うと、周りにいたジャック・オ・ランタン達は次々とかぶり物を取りはじめた。一見しただけで、実に様々な人種の老若男女がいることがわかる。

「ドミトリー」

グリゴーリーが名前を呼ぶと、高木に銃を突きつけたジャック・オ・ランタンが忌々しげにかぶり物を取り、床に投げ捨てた。男は、千葉と警官の前で倒れた男だった。

「我々は独自にプラーミャの追跡を行っている」

そういうことか——通路をほふく前進していたコナンは、エレニカの言葉を聞いてようやく腑に落ちた。

(彼らは民間人の集まり。だから入手できる情報も限られていて、松田刑事の殉職も知らなかったんだ……)

「事情はわかった。で、俺に何をしろと？」

高木がたずねると、ドミトリーが再び高木に銃を向けた。

「プラーミャが作った爆弾について教えてほしい」

エレニカはグリゴーリーからノートとペンを受け取ると、高木に歩み寄った。

「あなたは三年前、ビルに仕掛けられた爆弾を解除している。その爆弾の構造を私達に教えてもらいたい」

「……なるほど」

「爆弾の特性をつかめば、奴がどこにそれを仕掛けるか事前に予測できる。そうすれば奴を捕まえられるかもしれない」

高木はノートとペンを受け取った。

「警察に協力するつもりはないのかい？」

「警察は信用できない」

エレニカは鋭い眼差しで言い放った。近づかれて気づいたが、エレニカの左目の目尻からこめかみにかけて火傷のあとがある。

「……一つ聞かせてくれ」

高木はペンで頭をかいた。爆弾の構造を書けと言われて内心動揺していたが、それを悟られないように余裕ぶって見せる。

「警視庁の前で死んだ外国人。彼も君達の仲間なのか？」

「……彼は私の兄、オレグだ」

エレニカはそう言ってうつむいた。

「プラーミャには一つの決まりがある。爆破を決行する前に準備に使ったアジトに火をつけ、証拠を隠滅するのだ。数カ月前、兄はそのアジトを日本の山奥で見つけ、一人で向かった。火に包まれた屋敷からタブレットを持ち出すことに成功した兄は、何か情報が残っているかもしれないと電源を入れた。そこには爆弾の設計図らしきものと東京に関係があるものが映ったらしい。だが、数秒で画面が消えてしまい、そこからはまったく反応しなくなったと言っていた」

エレニカはずっとうつむいたまま、流ちょうな日本語で説明した。

「それで、東京のことは東京の者に訊くのが早いと、警視庁に向かったのだ」

通路を進んで柱の陰から様子をうかがっていたコナンは、エレニカの兄が持っていたタブレットを思い浮かべた。

(だから、あのタブレットは少し焦げていたのか……。だが、彼を殺した爆弾は、あのタブレットに仕掛けられていた。つまり、奪われることを想定した罠だったたってことだ……)

「……事情はわかった」高木が言った。

「だが、君の兄は三年前の事件の現場にもいた。それはどういうわけだ？」

エレニカはさらにうつむいた。

「あれは、私達が仕掛けた罠だった。プラーミャにビル爆破を依頼し、その現場で奴を捕まえるつもりだったのだ」

「だが失敗し、逃げられた。俺達四人はその尻拭いをさせられたってわけか」

高木が吐き捨てるように言うと、エレニカは顔を上げ、高木を見た。

「兄はいつも言っていた。松田という刑事にもう一度会いたい。アイツは我々ができなかったプラーミャの爆弾を止めたんだと。それで私達はあなたのことを調べ、昔の顔写真などのわずかな情報を手に入れた。そしてあなたをここに呼んだのだ」

「……それは光栄だねぇ〜」

高木が冗談めかすと、エレニカの顔つきが険しくなった。

「私の命より大事な家族を殺されたんだ。なんだってやるさ」

その鋭い目には憎しみが満ちていて、柱の陰から覗いていたコナンは、エレニカの憎悪の深さを悟った。

「話は終わりだ。さっさと描いてもらおう」

エレニカが促すと、高木は持っていたノートとペンを床に落とした。

「描きたくねぇな。アンタらの個人的な恨みに付き合ってられねぇんだよ」

「てめぇ‼」

ドミトリーが高木の頭に銃を押しつけた。

「だから俺は反対したんだ！　こんな奴の協力なんていらねぇって！」

千葉のそばでグリゴーリーが怒鳴ると、千葉の体がピクリと動いた。ドミトリーは高木の腕を後ろにひねり上げ、エレニカの前で跪かせた。

「松田刑事。あなたに選択肢はない。千葉刑事がどうなってもいいと？」

「アンタらじゃ荷が重いって言ってんだよ」

高木は顔を上げて、エレニカをにらみつけた。

「ちゃんと捕まえて罰を受けてもらうからよぉ、警察に任せろって言ってんだ‼」

高木の怒鳴り声が耳に響いて、千葉が目を覚ました。頭をもたげて、ぼんやりと前を見る。

「え？　ま、松田さん⁉」

千葉は目の前で跪いている高木を見て叫んだ。「ウソ！　俺、死んじゃったの⁉」

「死んだ……⁉」

エレニカが千葉を振り返る。

「え、だって、松田さんはとっくに殉職――」

「バカ、千葉！」

千葉を黙らせようとしたとき、エレニカの手が伸びて、かつらとサングラスを取られた。まったくの別人である高木の顔が現れ、みるみるうちにエレニカとドミトリーの顔に怒りの色が浮かぶ。

「おのれ……」

「なめやがって！」

ドミトリーが高木の頭に銃口を強く押しつける。

そのとき、扉が勢いよく開いた。

「警察だ！　全員そこを動くな！」

佐藤を先頭に刑事達が一斉に飛び込んできた。その背後には警察犬もいる。佐藤達刑事は、エレニカら集団に向かって銃を構えた。

「クソッ、尾行を撒いたはずなのに！　きさまぁ！」

ドミトリーはロシア語で怒りをあらわにし、高木の体を勢いよく床に押し倒した。

するとそのとき、かぼちゃのかぶり物がどこからか飛んできて、ドミトリーの顔面にぶち当たった。ドミトリーはそのまま後ろに倒れ、エレニカはかぶり物が飛んできた方向を振り返る。

「そこまでにしておいたら？　みんなが争うことで一番得をするのは、プラーミャだよ」

キック力増強シューズでかぶり物を蹴り飛ばしたコナンが、言った。

「コ、コナン君⁉」

階段の上で銃を構えていた佐藤が驚く。

「じゃあ、さっきの映像も君が……？」

コナンはニッと笑った。そしてエレニカ達に近づいていく。

「みんなで協力して、プラーミャを追った方がいいと思うけどなぁ」

「死にてぇのか、ガキ！」

グリゴーリーがコナンに銃を向ける。

「待て！　子供を撃つな！」

グリゴーリーを止めたエレニカは「状況が不利だ。撤退する」とつぶやくと、頭を打ってぐったりしている高木の首元にナイフを突きつけた。

「来るな！」

エレニカはコナンに向かって叫んだ。そして、

「ここは、子供が来るところじゃない」

フッと悲しげな表情を見せると、すぐにまた険しい顔つきになった。

「我々は止める！　プラーミャの息の根を！」

エレニカが右手を上げた次の瞬間――全ての照明が消えた。暗闇の中、大勢の走る足音が響く。

「しまった！」

「すぐ明かりを用意するんだ！　逃がすな!!」

風見の指示で、すぐに二人の刑事がライトを点けた。周りを照らして、エレニカ達を捜す。

「上だ！　上へ行ったぞ!!」

「追うんだ！」

刑事達が通路や階段を駆けていく中、コナンは腕時計の内蓋を回してライトを点け、床に倒れた高木を照らした。周囲も照らしてみたが、エレニカや男の姿はない。

「くっ……！」

コナンは悔しくて歯噛みした。するとそのとき、耳元でささやく声がした。

「……あなたを息子と同じようにはしたくない」

「！」

エレニカの声だった。コナンはすぐに声がした方を振り向き、ライトで照らした。しかし、誰もいない――。

暗闇の中でコナンが呆然と立っていると、いきなり照明が点いた。

あれだけいた外国人の姿はどこにも見当たらなく、

「ここです！」

椅子に縛られた千葉と、床に倒れた高木しかいない。風見達が外国人グループを追う一方で、佐藤は高木の元へ駆けつけた。

「高木君！　大丈夫⁉」

「ええ……なんとか……」

高木は床に倒れたまま答えた。

「途中まではマカデミー賞ものの演技だったと思ったんですけどね。最後の最後で……」

「とにかく、無事でよかった……」

ほっとする佐藤のそばで、刑事達は千葉の体に巻かれたロープを外している。

ありがとうございますと息をつく千葉を見ながら、コナンは耳元でささやかれたエレニカの言葉を思い返した。

――あなたを息子と同じようにはしたくない。

ロシア語で、確かにそう言った。

「息子……」

コナンはつぶやくと同時に、エレニカの憎悪に満ちた目を思い浮かべた。そして、エレニカを止めるのは難しいかもしれない、と思った。

風見達は外国人グループを捕まえることができず、渋谷中央警察署の会議室に戻る頃には日が傾きはじめていた。

「もう、心配したんだから～!!」

白鳥がドアを開けたとたん、警察官の三池苗子が涙目で飛び込んできて、千葉に抱きついた。

「ちょ！　な、苗子ちゃん！　僕は大丈夫だから……」

千葉は顔を真っ赤にしながら、苗子を抱きしめた。ふと周りを見ると、佐藤や高木、風見ら一同が注目している。

「な、なんかすみません……」

千葉は抱きしめていた苗子を持ち上げると、そそくさと会議室を出ていった。二人を見送った佐藤が、風見に顔を向ける。

「それで、逃走したグループの行方は？」

「全力で追わせているが、足取りはまだつかめていない」

パイプ椅子に座った村中は、隣のクリスティーヌの手を握った。

「……式は中止しよう。皆の安全が第一だ」

向かい合わせに座った目暮が「しかし」と口を開く。

「プラーミャが君を狙っていることは間違いない。今後二人には警護をつける」

「よろしくお願いするよ」

村中が頭を下げたとき、クリスティーヌのスマホが震えた。スマホの画面を確認したクリスティーヌの顔が一気に青ざめる。

「あ、あなた！　こんなものがメッセージで！」

驚いてスマホを覗いた村中も、血の気の引いた顔になった。スマホの画面に表示されたメッセージを読み上げる。

「……『結婚式は予定どおり行うこと。もし中止した場合、より多くの犠牲者が出ることになるだろう』」

「な、なんだって!?」

目暮の驚いた声が響いた。驚きのあまり言葉も出ない一同のそばで、コナンはプラーミャのメッセージを反芻した。

コナンと佐藤が渋谷中央警察署を出る頃には、すっかり日が暮れていた。

「結局、結婚式はやるんだね」

コナンは正面玄関を出たところで足を止めた。佐藤も立ち止まって「うん」とうなずく。

「今はそうするしかないわ。でも、プラーミャの好きにはさせない。絶対に捕まえてやるから」

空を見上げて誓う佐藤のそばで、コナンはプラーミャの意図を考えた。

(なぜだ？　なぜ、プラーミャはこんなことを？　村中さんの結婚式が中止になったとしても、別の場所で狙えばいいだけの話。どうして結婚式にこだわるんだ……？)

「どうしたの、コナン君。怖い顔して」

いつの間にか佐藤がコナンの顔を覗いていて、コナンはビクッと肩を跳ね上げた。

「な、なんでもないよ」

そのとき、ポケットに入れたスマホが震えた。

「あ、電話だ。じゃあ帰るね！」

助かったとばかりにスマホを取り出して走る。

「気をつけて帰ってねー！」

「うん」

コナンは走りながら、スマホの画面を確認した。意外な人物からの着信で、思わずニヤリと笑う。

「そっちから連絡してくるとは思わなかったよ」

『一刻も早く君に伝えたくてね』

電話は、地下シェルターに隔離されている安室からだった。

『プラーミャを追う組織の情報をつかんだんだ。組織の名は〈ナーダ・ウニチトージティ〉ロシアからヨーロッパにかけてのネットワークを持ち、独自にプラーミャを追跡していたようだ』

ナーダ・ウニチトージティ――ロシア語で『息の根を止めねば』という意味だ。コナンは、エレニカが地下貯水槽から去る直前に言った言葉を思い出した。

――我々は止める！　プラーミャの息の根を！

(プラーミャの息の根を、ってことか……)

コナンが歩道橋を歩きながら考えていると、電話の向こうの安室は話を続けた。

『リーダーはエレニカと名乗る女性。顔に火傷のあとが残っている。プラーミャへの煮え切らない各国警察の対応に苛立ちを募らせた彼らは、報復のため組織を立ち上げたんだ。ただ、いかに民間組織とはいえ、プラーミャにとってはかなり嫌な相手だ。世界中どこまでも追ってきて、仕事の邪魔をするのだから』

「日本で起きている爆破事件も関係しているのかも。外国人焼死事件や雑居ビルの爆弾……」

コナンが言うと、安室は少し間を置いて話し出した。

『ビルの爆弾については少し引っかかるんだ。僕なら時限式ではなく無線式を使う。その方が確実だからね』

安室の言うことはもっともだった。クリスティーヌが雑居ビルに入ったタイミングで爆弾を爆発させたいのなら、無線式の方が確実だ。前もって爆破時間を設定する時限式ではタイミングがずれる可能性が高い。

さらに不可解なのは、クリスティーヌのスマホに送ってきたメッセージだ。

「そして今度はわざわざ向こうから警察に連絡を入れてきた。プラーミャにはなんらかの意図があるはず……」

地下シェルターに隔離されている安室は、プラーミャの資料を見ながらコナンと電話をしていた。

『もう一つ、安室さんに首輪爆弾をはめた理由もわからない。三年前の復讐をしたいなら、おびき出したあの場所ですぐに殺すはずでしょ？』

やっぱりこの子は鋭いな――安室はフッと微笑み、首につけられた爆弾に触れた。

「それについては僕もずっと考えているんだ」

『爆死事件の証拠のメモは見た？』

「ああ」

『あれが何を意味しているのかもまだわからない。だけどもう結婚式までの時間が……』

電話の向こうのコナンの口調が早口になった。その声には、焦りが色濃くにじんでいる。

安室は、警察学校時代に松田に言われた言葉を思い出した。

「僕の友人が言ってたよ。焦りこそ最大のトラップだって。この程度の危機、君は何度も乗り越えてきたんだろ？」

安室の挑発めいた言葉に、コナンは返してこなかった。

「健闘を祈る」

短く言って、受話器を置く。

しばらくして、ガラスの向こうのエレベーターから風見が降りてきた。

「遅くなりました」

大きなリュックを背負って近づいてくる風見を見て、安室はニヤリと微笑んだ。

「さすがにここにいるのも飽きてきたしね。頼んだよ、風見」

7

十月三十一日。

ハロウィン一色に染まった渋谷は、昼間からものすごい人出で、駅前のスクランブル交差点はハロウィンの仮装をした若者達で埋めつくされていた。

大勢の人が行き交う通りには警備員が立ち、ときおり植え込みの陰やビルとビルの隙間を覗いていた。彼らは警備員に扮した刑事だった。

村中の結婚式が行われるヒカリエの周囲は、さらに大勢の警官が配備され、あらゆる場所で爆発物の捜索を行っていた。また、ヒカリエの正面入り口には金属探知ゲートが設置され、全ての客を通らせている。

ヒカリエの警備室には、監視カメラのモニターがずらりと並んでいた。監視カメラの映像をチェックする警官達の後ろで、目暮も異変がないか目を光らせる。

佐藤はクリスティーヌと一緒に新婦控室にいた。ドアがノックされ、佐藤がドアを開けると、タキシード姿の村中が高木と一緒に立っていた。

「入って大丈夫かい？」

「どうぞ」

村中が部屋に入ると、窓際のソファにウェディングドレス姿のクリスティーヌがうつむいて座っていた。

「あなた……」

村中はソファの前で立ち止まり、クリスティーヌを見つめた。

「綺麗だよ。……せっかくの晴れの日がこんなことになって、本当にすまない」

「私のことはいいんです。それより、本当に大丈夫なんですの？」

「君は心配しなくていい。目暮達がきっと止めてくれる」

村中は、ドアの前に立つ佐藤と高木を振り返った。二人がビシッと敬礼する。

「さぁ、いつもの笑顔を見せてくれないか。せっかくのドレスが台無しだ。そうそう、もっとこんなふうに、ニィ〜」

クリスティーヌが苦笑いすると、村中は二本の指で口の両端を引っ張って、変な笑顔をして見せた。

敬礼した手を下ろして二人のやりとりを見ていた高木は、隣の佐藤に小声で言った。

「ビル全体を徹底的に捜索しましたが、不審なものは見つかりませんでした」

「うん……」

佐藤は、クリスティーヌの心をなごませようとする村中を気の毒そうに見た。クリスティーヌが浮かない表情をするのも無理はない。脅迫状が届き、爆弾で殺されそうになり、そして今度は式を挙げなければ爆発を起こすと脅されているのだ。

本来なら、結婚式を挙げる新郎新婦は幸せで笑顔があふれるはずだろうに——。

ハロウィンの仮装をした人々が集結した渋谷では、駅のそばの通りが歩行者天国になり、あふれ返るほどの盛り上がりを見せていた。街のあちこちにジャック・オ・ランタンの大きなバルーンが置かれ、歩行者天国になった通りには頭上を埋めつくすような勢いで無数のかぼちゃランタンが飾られている。

地下貯水槽から脱出したエレニカは、ヒカリエからほど近いビルにあるカフェにいた。窓際のカウンター席に、ドミトリーとグリゴーリーと並んで座っていた。正面の大きな窓からは、ヒカリエの建物が見える。

「いよいよだ。プラーミャは必ずあのビルに現れる」

ドミトリーが正面のヒカリエを見ながら言うと、グリゴーリーは気合十分といった顔でうなずいた。

「なんとしても奴は仕留める。これが最後の機会かもしれないからな。だからこそ俺達ナーダ・ウニチトージティのメンバー全員が日本にやってきたんだ」

それまで二人の間で沈黙を続けていたエレニカは、首に下げたペンダントをギュッと強く握りしめた。

「いずれにしろ、爆発が起きれば確実に多くの関係のない人達の犠牲が出てしまう……」

「……あのときのこと、また思い出しているのか？」

いつものエレニカらしくない言葉に、ドミトリーが察してたずねる。あのときとは、炎上したアパートに飛び込もうとしたエレニカを、グリゴーリーと必死で止めたときのことだ。

「あれはもう手遅れだったんだよ。俺だって助けたかったさ。だけど、飛び込んだところでお前の息子はもう――」

「黙れ」

エレニカの手が、ドミトリーの首をつかんだ。殺気に満ちた鬼のような形相で、ドミトリーの首を絞め上げる。

「わ、悪かった。エレニカ、この話はよそう。いつもの冷静な君に戻ってくれ」

グリゴーリーが慌てて間に入ると、エレニカはドミトリーの首から手を離した。ゲホッ、ゲホッとドミトリーが咳き込む。

「大丈夫か、ドミトリー」

心配するグリゴーリーの隣で、エレニカは窓の外に目を戻した。殺気に満ちあふれた表情は一変して、怒っているような泣いているような複雑な表情で、ヒカリエを見つめた。


コナンは蘭と一緒に、小五郎が入院する渋谷中央病院に来ていた。

「なんだか大変なことになっちゃったね」

廊下を歩きながら蘭が言うと、コナンは「うん」とうなずいた。

「結婚式は村中さんとクリスティーヌさんだけでやるんだって」

「そっか。せっかくの結婚式なのにかわいそう……」

気の毒そうにつぶやく蘭の向こう側に、衝立で仕切られた休憩室があった。壁にポスターが貼ってあって、コナンはちらりと見る。それはハロウィン当日の交通規制区間を知らせるポスターだった。

蘭が病室のドアを開けると、小五郎はベッドでいびきをかいて寝ていた。

「こっちはのんきなものね」

ベッドの横に立った蘭は、あきれた顔で言った。苦笑いしたコナンは、ベッド脇の丸椅子に目をやった。椅子の上にはメモとペンが置いてあり、メモには『¥』が横向きになったようなマークとアルファベットみたいな文字が書かれている。

「このメモ、なぁに？」

コナンがたずねると、蘭は「え？」と振り返った。

「ああ……警視庁前で爆発が起きたときに目の前に落ちてきたメモを思い出して、ちょっと書いてみたの」

「蘭姉ちゃん、メモを見たの!?」

コナンは驚いた。メモを拾った灰原も中は見ておらず、メモ自体もほとんど焼けてしまって、何が書いてあったのか永遠にわからないと思っていたのに――。

「見たといってもチラッとだけよ。英語じゃないみたいで、なんだかよくわからなくて。お父さんが起きたら聞いてみようと思ってたんだけど、あのときは一緒に病院についていったりバタバタしてたから、警察の人にも言う間もなくって……」

コナンはメモを手に取り、凝視した。

警察署で見たメモは、¥マークの横線が右側に伸びたところで焼け焦げてなくなっていた。けれど、蘭が書いた¥マークは上の横線から新たな線が伸びている。

（¥マークじゃなかった。でもこの図形、どこかで……）

蘭が描いた不思議な図形を、コナンはどこかで見たような気がした。

どこだ。どこで見たんだ――。

必死に思い出そうとするコナンの脳裏に、ヒカリエから眺めた渋谷の街並みがふと浮かんだ。

スクランブル交差点から伸びたいくつもの大きな通り。

道に沿って続く、ハロウィンのオレンジ色の装飾――。

「!!」

コナンが思い出した図形と、蘭が描いた図形がピッタリ重なった。そのとたん、コナンは病室を飛び出した。

コナンは廊下を走った。

走りながら、頭の中で漠然と記憶していたものが、反射的に浮かんで駆け巡る。

――村中のところに脅迫状が来ているんだよ。

――『ある人に伝えたいとても大事なメモなんだって』。

――彼女とは病院で出会ったんです。肩をケガして入院したときに。

村中の腕にくっついた伝票を、微笑みながら左手で取るクリスティーヌ。

――被害者の落とし物に気づいた子供が、それを拾って渡そうとしたとたん……。

焼け焦げたメモに描かれていた不思議な図形。

——これが、松田刑事に見せたかったメッセージ……？

——友達がどうしても渡したいものがあるって。渋谷にいるから取りに来てほしいって。

——プラーミャへの復讐を誓い、共に立ち上がった同志だ。

クリスティーヌのスマホに届いた、プラーミャのメッセージ。

〈結婚式は予定どおり行うこと。もし中止した場合、より多くの犠牲者が出ることになるだろう〉


「ここだ。ここに答えがあったんだ……」

コナンは先ほど通った休憩室に来ていた。壁に貼られたポスターの前で立っていると、

「コナン君！」

病室から追いかけてきた蘭が、コナンを見つけて入ってきた。

「いったいどうしたの？」

「これを見て」

コナンは目の前のポスターを指差した。それは病室に行くときにコナンが見たポスターだった。

ポスターには渋谷の簡単な地図が描かれていた。規制される通りはオレンジ色で表示されている。

「ハロウィン当日の交通規制区間だよ。道玄坂下のＹ字路から宮益坂方向に道が伸びてるでしょ？」

「うん」

「そこにまず神宮通りが交差。渋谷駅のガードをくぐった明治通りも交差する。これを90度回転すると……」

「¥マークになるわね」

コナンは蘭が描いたメモを出した。¥マークの上の線から伸びた線を人差し指で隠しながら。

「ボクが見た燃え残ったメモは、ここのラインがちょうど燃えていたから、

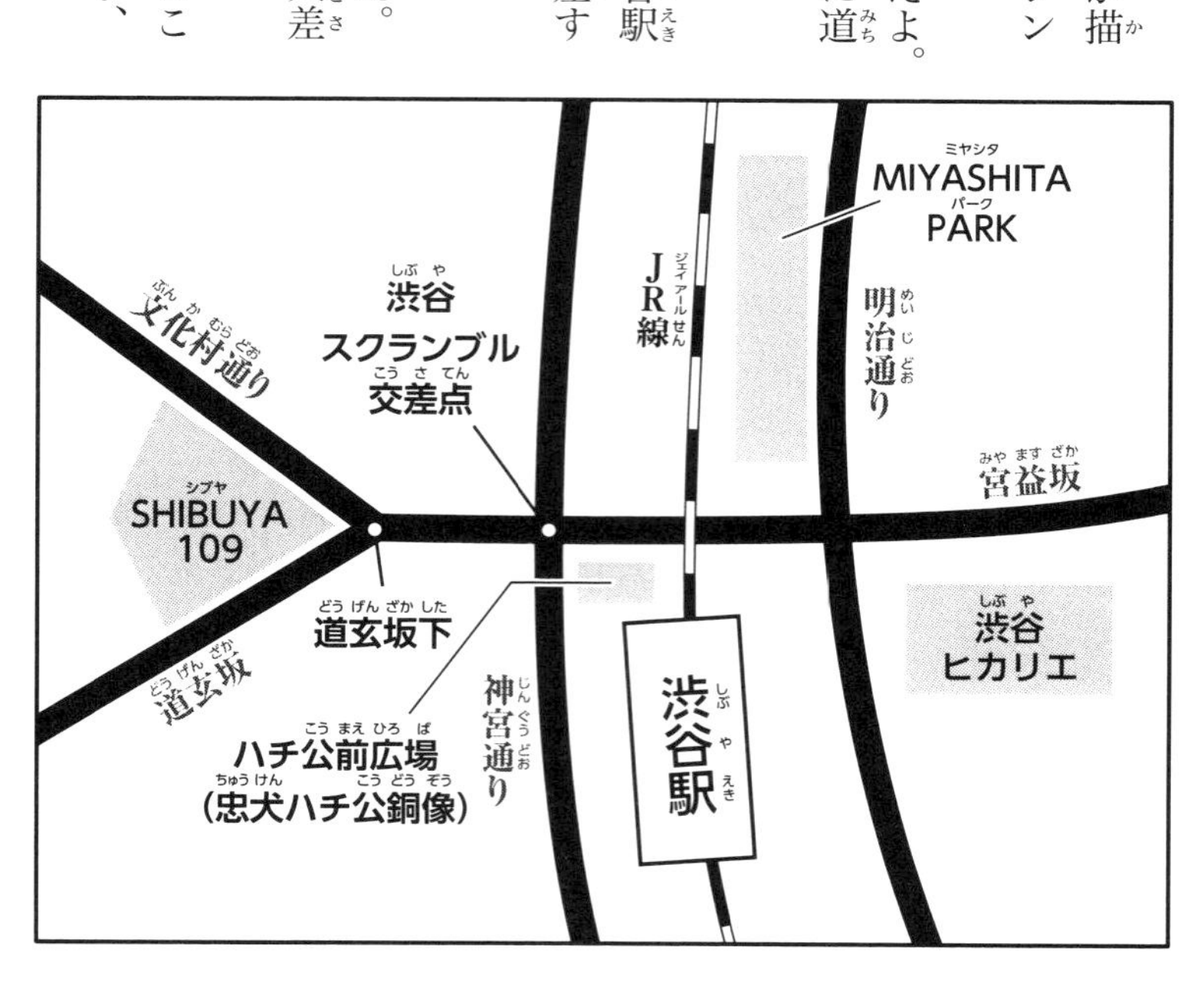

¥マークと勘違いしていたんだ」

「でも……」

蘭は眉をひそめた。

「村中さん達が結婚式を挙げるヒカリエは渋谷にあるんだし、わざわざそんな絵を描かなくても……」

「いや、ヒカリエだけじゃない」

コナンは再びポスターを見た。

「もしかしたら、その周辺一帯も……」

ポスターを見つめるコナンの横顔を、蘭がまじまじと見る。

「コナン君、まるで新一みたいなこと言うね」

ギクッ！　とコナンは体を震わせた。

「……って、新一兄ちゃんが言ってたんだ！」

慌てて取り繕うと、蘭はあきれた顔をする。

「また新一に事件のこと相談してたの？」

「う、うん」

コナンは何度もうなずいた。推理していると、つい自分が小さくなったことを忘れてしまう。

「それと、もう一つの謎も解けたって言ってたよ。ボクが巻き込まれそうになったビルの爆発、やっぱりあれは村中さんを狙ったものじゃなかったんだって」

「どういうこと？」

「あれは、最初からボク達を狙っていたんだ。この証拠のメモを目撃した可能性のある人物を、犯人は消そうとしたんだよ」

「待って」蘭はコナンの推理を遮った。

「犯人はどうして子供達があの雑居ビルに行くってわかったの？　爆弾はタイマー式だったんだよね？　前もって仕掛けてあったたって聞いたよ」

蘭の問いに、コナンは厳しい表情で答えた。

「あそこにみんなが行くように仕向けた人がいるでしょ？」

コナンの言葉に、蘭はハッと目を見開いた。

「まさか……打ち合わせが入ってるって言った……」

「犯人は顔かたちを変えて日本に潜伏している。公安の刑事さんはそう言ってた」

「……正体は、村中努さん!?」

コナンは答えなかった。無言でうつむいている。

「確かに、引退してしばらく隠居生活を送っていた人なら、すり替わるチャンスはあったかもしれないけど……警察のＯＢなのよ!?」

そこまで言って、蘭はふと、村中と病院の喫茶店で話したときのことを思い出した。

——被害者の落とし物に気づいた子供が、それを拾って渡そうとしたとたん、炎が上がったんです。

自分が言った言葉を思い出して、思わず口を押さえる。

「わたしがあのとき、しゃべったから……」

「あのとき蘭姉ちゃんは、子供の名前は出さなかった。だからどの子供が拾ったのかわからなかったんだ。それで、全員爆弾で殺害しようとした……」

コナンはそう言って、手を広げた。

「っていうのが、新一兄ちゃんの推理だよ！」

「ひどい……」

犯人の残酷さに、蘭は口を押さえたまま首を横に振る。

コナンは再びメモに目を向けた。

渋谷の地図だとわかった図形の横に書かれた、アルファベットみたいな文字。

〈ｎｙｎЯ〉と〈ｎｎｅ４０〉

Rだけ反転して書かれていて、蘭は意味がわからなかったのだろう。矢印が伸びて『?』と書いてある。

(これは英語じゃなくてロシア語だ。上はたぶん『ПУЛЯ』(プーリア)。弾丸の意味で、下はこれ……なんだ? 数字の『40』……)

コナンの頭の中に一つの単語が浮かんで、ハッと目を見開く。

「蘭姉ちゃん! ボクこのこと、みんなに知らせてくる!」

コナンは休憩室を飛び出して、廊下を走った。

「待って!」蘭が呼びかける。

「じゃあ村中さんは自分で自分の殺害予告を出してるってこと!? 新一はなんて言ってたの!? コナン君!」

蘭の呼びかけには答えず、コナンは廊下を走って去っていった。

村中は新郎控室の窓から、高層ビルの谷間に落ちていく夕日を眺めていた。通りを挟んで立つガラス張りの高層ビルが夕日を受けて、まばゆく反射している。

「そろそろ時間だな」

部屋に入ってきた高木に気づいて、村中は振り返った。そして高木と一緒に部屋を出ていく。

クリスティーヌもまた、新婦控室の窓から外を眺めていた。窓に映る表情は、結婚式を挙げる新婦とは思えないほど沈んでいる。

「大丈夫ですか？」

ドアの前に立っていた佐藤が声をかけると、振り返ったクリスティーヌは弱々しく微笑んだ。

「……正直に言うと、怖くてたまらないの」

「我々が絶対にお守りします！」

佐藤は背筋を伸ばして答えたが、クリスティーヌは不安そうな顔で椅子に向かった。

「日本でもう二人も殺しているんでしょう？　それに、あのビルに仕掛けられた爆弾……」

「大丈夫。プラーミャには指一本触れさせませんから」

どれだけ力強く言っても、クリスティーヌの不安を払拭することはできず、クリスティーヌはうつむいたまま椅子にそっと腰を下ろした。

病院を出たコナンは、ターボエンジン付きスケートボードに乗ってヒカリエへ向かった。渋谷の街はハロウィン一色で、大量のかぼちゃランタンがぶら下がった通りは、仮装した人々であふれ返っていた。コナンは人の間を縫うように、蛇行しながら疾走する。スケボーに乗りながら、コナンはメガネのつるのボタンを押した。左レンズにレーダーが表示される。

さらにコナンはポケットからスマホを取り出し、メッセージを打ちはじめた。


その頃。元太達は阿笠博士の家に来ていた。自分達で作ったハロウィンの衣装を着て、お菓子を食べながらソファでテレビを見ていると、ハロウィンの仮装をしたレポーターが渋谷の街を中継しはじめた。

「せっかくのハロウィンだってのに、博士んちかよ。退屈だな」

狼のコスプレをした元太は、空になったお菓子の袋をつまらなさそうに見つめた。

「あ〜あ。歩美も渋谷行きたかったなぁ」

黒のフリルワンピースに角付きカチューシャ、先が三つにわかれた槍を持ってデビルのコスプレをした歩美も、退屈そうに足をパタパタさせる。

「仕方ないですよ。ボク達だけで行くわけにはいかないですし」

ドラキュラのコスプレをした光彦が言うと、

「大人達はそれどころじゃないみたいだしね」

海賊の帽子をかぶった灰原が、紅茶を入れたカップを持ってやってきた。

「大人しくしてましょう」となだめた瞬間、「ジャジャーン！」と大きな声が背後からした。

「ハロハロハロウィンの楽しいクイズでーす！」

灰原が振り返ると、ジャック・オ・ランタンの張りぼてを着た阿笠博士が、キッチンとリビングの間にハロウィン柄のカーテンをシャーッと引いて現れた。

「うっ、きた……」

ソファに座った元太達が、うんざりした顔になる。

フォッフォッフォーと高笑いした阿笠博士は、いきなり張りぼてを脱いで、警察官の制服姿になった。

「高層ビルが林立する大都会。その夜の眺望を守ろうと、ど真ん中で頑張る警察があります。次のうちどれでしょう？
一、新宿警察。二、渋谷警察。三、品川警察。四、池袋警察」
クイズを出しながらビシッと敬礼のポーズを取る阿笠博士に、子供達がしらけた顔を向ける。

「今はクイズ解いてる気分じゃありませんよ」

「頭使うと、腹減るしよ」

「ホントに渋谷行きたかったなぁ」

歩美がため息をつくと、阿笠博士がソファの後ろからすかさず近づいてきた。

「おおっ！　歩美ちゃん、正解じゃ！」

「え!?」

「答えは渋谷警察。『しぶ　やけい　さつ』。ど真ん中に『夜景』があるからのォ！」

得意げに説明する阿笠博士に、灰原はやれやれと息をつく。子供達は正解を聞いてもたいして反応もせず、元太が「そんなのどうでもいいよ」と投げやりに言った。

「時間かけて考えたのに！」

阿笠博士がしょげていると、上着の内ポケットに入れたスマホが震えた。ソファから離れつつ、内ポケットからスマホを取り出して、メッセージを確認する。

「な、なんじゃとォ!?」

メッセージを読んだ阿笠博士は、すっとんきょうな声を上げた。

「いやしかし、あれはまだ……」

頭に手を当ててうろたえている阿笠博士に、子供達が声をかける。

「どうしたんですか？　博士」

「誰からのメール？　あ！　もしかしてコナン君？」

「あ、いやいや、違う違う！　ただのそのォ、なんというか……ムハハ」

阿笠博士が笑ってごまかすと、子供達は疑いの目を向けた。

「なんか隠してねーか？」

ごまかすの、どんだけ下手なのよ——灰原は子供達のそばで苦笑いした。

「いや、そうじゃないが、ちょっとな」

苦し紛れにごまかす阿笠博士に、子供達が「は〜か〜せ〜!!」と詰め寄る。阿笠博士は
トホホ……と肩を落とし、コナンからのメッセージを見た。

「無理じゃよ、子供達に内緒で行くなんて……」

渋谷のカフェにいたエレニカは首から下げたペンダントを握りしめていた。

「時間だ。行こう」

隣に座っていたグリゴーリーが、ゆっくり立ち上がる。

「なっ……！」

グリゴーリーの驚いた声でエレニカが振り向くと——スケボーを抱えたコナンが立って

いた。

「……どうしてここがわかった？」

「後ろの人にかぶり物を当てたとき、ちょっとね」

エレニカはハッとして、ドミトリーを見た。

「あのときに……！」

地下貯水槽で、コナンはドミトリーにかぼちゃのかぶり物を蹴り飛ばした。かぶり物がドミトリーの顔面に当たったとき、ボタン型の発信機がパーカーのフードにくっついたのだ。

コナンはメガネのつるのボタンを押し、レンズに表示されたレーダーを消した。

「話があるんだ、エレニカさん」

「いいかげんにしろ！　お前みたいなガキが――」

けんか腰で迫ろうとするグリゴーリーを、立ち上がったエレニカが片手で制する。

「今夜、この辺りは危険だ。さっさと帰りなさい」

「プラーミャの正体がわかったんだ！」

コナンがロシア語で告げると、三人は目を丸くした。

結婚式が始まった。

パイプオルガンの神聖な音が流れはじめ、村中とクリスティーヌは式場の祭壇までの通路を一歩ずつ、ゆっくりと歩を進める。

祭壇に神父が立っているだけで、参列席には誰もいない。二人だけの結婚式だ。

しかし、至るところに刑事が隠れていた。目暮は参列席の柱の陰。高木と佐藤は祭壇の柱の陰。そして神父は変装した白鳥だ。

刑事達が見守る中、村中とクリスティーヌは祭壇の前に着いた。神父が挨拶をし、二人で賛美歌を斉唱する。式は順調に進行していき、誓いの言葉を経て、指輪の交換となった。

「それでは、指輪の交換を……」

村中は神父が差し出したリングピローから指輪を手に取り、ウェディングヴェールを被ったクリスティーヌに向き直った。絹の手袋に包まれたクリスティーヌの手を取り、薬指に指輪をはめようとする。

「おい、どうした⁉」

突然、目暮の慌てた声が響いた。村中とクリスティーヌがハッと顔を上げる。

柱の陰で、目暮は無線機に呼びかけていた。警備室からの連絡だったが、電波障害でよく聞こえない。

『警部！　大変です……そちら……手配中の一味が子供……を人質……に』

「クソッ！」

目暮がイヤホンを外すと同時に、チャペルの扉が勢いよく開いた。

「プラーミャ！　覚悟しろ!!」

入ってきたのは、拳銃を構えたエレニカとドミトリーだった。神父の扮装をした白鳥がかつらをバッと取り、高木と佐藤は村中達の前に飛び出した。

「動くな！　子供の頭が吹き飛ぶぞ!!」

さらにチャペルに入ってきたのは、コナンを抱えたグリゴーリーだった。コナンの頭に拳銃を突きつけている。

「コナン君！」

「銃を捨てろ」

エレニカに言われて、佐藤と高木は歯噛みしながら銃を捨てた。

「……こんなことをして、どういうつもりだ？」

高木がたずねると、銃を持ったエレニカは、コナンから受け取った蘭のメモを掲げた。

「プラーミャの正体がわかった」

「なんだって!?」

エレニカ達は祭壇に向かって歩き出した。

「手前二人、そこをどけ」

村中とクリスティーヌの前に立っていた高木と佐藤は、仕方なく脇へ動く。

「後ろの刑事は入り口の扉を閉めて、鍵をかけろ」

目暮は「くっ……」と歯噛みしながらも、エレニカの要求に従うべく扉に向かった。

エレニカ達は銃を構えたまま、祭壇までの通路を進んだ。クリスティーヌが村中にそっと寄り、村中はかばうように腕を上げる。

祭壇の前まで進んだエレニカは立ち止まり、銃口を村中に向けた。

「両手を上げろ。プラーミャ」

「なっ……！」

村中の目が大きく見開く。

「何を言っている！　彼は狙われている身だぞ！」

目暮が後ろで叫ぶと、ドミトリーが発砲した。空砲だ。

「動くな」ドミトリーは目暮に銃口を向けた。

村中のそばにいたクリスティーヌは、震えながら後ずさった。

「あ、あなたが犯人……？」

「ち、違う！　なんで私が自分自身に脅迫を――」

「動くな！」

エレニカが叫んだ。

「新郎新婦二人共だ。早く両手を上げるんだ」

村中はゆっくりと両手を上げた。しかし、クリスティーヌはうつむいたまま、両手を上げようとしない。

「どうした、花嫁。お前も両手を上げるんだ」

エレニカは村中に向けた銃口をずらした。両手を挙げた村中が慌てて叫ぶ。

「待ってくれ！　彼女は三年前に負った交通事故の後遺症で右肩が上がらないんだ！」

「交通事故？」

エレニカはフッと鼻で笑った。

「三年前、日本の刑事に銃で撃たれたせいで、右腕が上がらないんだろ？　なぁ、クリスティーヌ・リシャール。いや、プラーミャ!!」

エレニカの言葉に、一同は大きく目を見張った。クリスティーヌは怯えた声で言った。

「わ、私が犯人……？」

「いい加減にしてくれ！　なぜ彼女が犯人だと――」

村中が言いかけたとき、ドミトリーが村中に向けて何かを放った。自分に向かって投げられた物を、村中が思わずキャッチする。

「これは……？」

「金属探知機だ。プラーミャの肩には銃弾が埋まっている。近づければ反応するはずだ」

エレニカが言うと、クリスティーヌは「待ってください！」と訴えた。

「手術で金属ボルトが入っているんです。だから……」

すると、佐藤が「そういえば……」と口を開いた。

「あなた、さっき控室でプラーミャは二人殺したと言ったわね。脱走した連続爆破犯の殺害――その件は公式に発表されていないのに、どうして二人だと……？」

「君までなんだ⁉」

村中がすごい剣幕で、間に割って入ってきた。

「俺達の結婚式を万全の警備で守ってくれるんじゃなかったのか⁉ それなのにこんなに簡単に侵入を許し、犯人扱いまでして……結婚式がメチャクチャだ‼」

まくし立てた村中は、申し訳なさそうな顔でクリスティーヌの方を振り返った。

「すまない、クリスティーヌ。せっかくの晴れ舞台が……」

そのとき、ククク……とどこからか低い笑い声がして、村中は眉をひそめた。誰だ、笑っているのは――周りにいる佐藤や高木を見たが、皆あぜんとした顔で立っている。

「クククク……」

まさか――村中は、ヴェールで顔が隠れているクリスティーヌを見た。ヴェールから透けて見える口元が笑っている。

「……私としたことが、最後にやってしまったな」

「クリスティーヌ？　何を言って……」

村中が指輪を持った手で触れようとすると、クリスティーヌはバシッと払いのけた。指輪が吹っ飛んで、床に転がる。

「ああ、うるさい、うるさい。まったくうるさいハエのような奴らだな、お前らは!!」

吐き捨てるように言ったクリスティーヌは、村中が今までに見たことのない冷酷な表情をしていた。村中がショックを受けたその刹那、手錠を持った佐藤が飛び出した。

クリスティーヌは佐藤の伸びた手をひらりとかわし、後ろ向きに跳んだ。

「なっ……！」

ウェディングドレスの裾を大きく翻しながら二度の宙返りをしたクリスティーヌは、大きく膨らんで広がるドレスの中から、ワイヤー銃を天井に向けて撃った。その瞬間、白鳥がクリスティーヌに飛びかかった。が、天井に刺さったワイヤーが巻き取られて、ウェディングドレスを脱いだクリスティーヌの体が一気に上昇する。

すかさずエレニカが発砲した。しかし、クリスティーヌは天井近くにある通路に入ってしまった。

「柱に隠れて！　攻撃が来るよ！」

コナンがロシア語で言うと、グリゴーリーはコナンを床に下ろし、エレニカ達と走り出した。

「みんなも早く隠れて！」

コナンは、祭壇前にいる高木達に向かって叫んだ。

「コナン君!?」

人質だったはずのコナンがエレニカ達と協力しているように見えて、高木は混乱した。

「急いで！」

「わ、わかった」

高木は銃を拾って、走り出した。白鳥と佐藤も柱に向かって走る。呆然とする村中だけが祭壇に残った。

クリスティーヌは通路に隠しておいたマシンガンを手に取り、弾倉を押し込んだ。

「私の正体を知る者は、誰一人生かすことはできない!!」

そう叫んだクリスティーヌは、通路からマシンガンを連射した。柱に隠れようと走るエレニカ達の足元の床が弾け、飛び込んだ柱にも銃弾が突き刺さる。

コナンは出入り口そばの柱に飛び込んだ。柱に隠れた瞬間――激しい銃声と共にガラスが砕け散る。柱に隠れたグリゴーリーが撃ち返すと、何倍もの銃弾が撃ち込まれて、柱の奥のガラスが粉々に砕けた。

クリスティーヌはマシンガンを乱射しながら、ハハハ……と高笑いした。

「……やめてくれ、クリスティーヌ」

祭壇の前で一人呆然と立っていた村中は、マシンガンを乱射するクリスティーヌを見上げた。

「君はおしとやかで、そんなことをする人じゃないはずだ!!」

村中に気づいたクリスティーヌは、マシンガンを撃つのを止めた。が、ためらうことなく銃口を村中に向ける。ショックのあまり、村中は動けなかった。

そのとき、誰かが叫んだ。

「村中――っ!!」

柱の陰から飛び出した目暮が、村中に飛びついた。村中ごと倒れた目暮の足元を、銃弾が叩く。高木がすばやく柱から出てきて、クリスティーヌに発砲した。

「目暮警部！　大丈夫ですか⁉　早くこちらに隠れて！」

反対の柱から佐藤が叫び、目暮と村中は柱に隠れた。

高木が放った銃弾をよけたクリスティーヌは、通路にすばやく引っ込んで、マシンガンから空になった弾倉を取り外した。そして新しい弾倉を押し込む。

しかしすぐに撃とうとせず、顔をしかめながら右肩を押さえた。

「大丈夫？」

近くの柱に隠れているエレニカが、コナンに声をかけた。

「ああ……」

「どうする？」

コナンは立ち上がり、エレニカ達の方を向いた。

「なるべく時間を稼いでほしい。ボクは先に行くところがあるんだ。うまく逃げてね」

「わかった」

エレニカがうなずくと、コナンは出入り口に向かい、扉を開けた。扉の外には公安や刑事が何人も立っていて、扉が開いて出てきたコナンを見て驚く。

「花嫁が犯人だよ！　二階の通路に――」

コナンが伝えようとしたとたん、再び銃声がして、扉の隙間から銃弾が降り注いだ。

扉の隙間から中をうかがうと、クリスティーヌが悪辣な笑みを浮かべて祭壇の方へ乱射していた。

「他の入り口から行くぞ!!」

公安刑事達が廊下を駆けていくと、コナンは別方向へ走り出した。


「村中、しっかりしろ！」

佐藤がいる柱に隠れた目暮は、座り込んだ村中の肩を揺すった。相当なショックを受けた村中はすっかり落ち込んで、強面が見る影もないほど弱りきった顔をしている。

「……目暮、すまない。俺は本当に愚かだ」

「バカヤロォ」

目暮は一喝した。

「そんなこと、今に始まったことじゃない。今さら気にしてどうする？　頭より先に勘で体が動く、鬼の村中よォ！」

「目暮……」

二人の会話をそばで聞いていた佐藤は、一瞬止んだ銃声の隙をついて、柱から飛び出した。祭壇の前に落ちた自分の銃を滑り込んで手に取ると、体を回転させて仰向けで発砲した。銃弾はマシンガンに当たり、クリスティーヌの手から吹き飛ぶ。

クリスティーヌはチッと舌打ちして、すぐに太もものホルスターからハンドガンを抜いて発砲した。

「危ない！」

別の柱から飛び出した高木が、仰向けで応戦する佐藤に覆いかぶさるように飛び込んだ。銃弾が床を弾く。高木に覆いかぶさられた佐藤は、床に背中を滑らせながら銃を撃った。

佐藤が放った銃弾が通路の手すりを弾くと、続けざまに数発の銃弾が通路の壁に着弾した。エレニカ達がクリスティーヌに向けて発砲してきたのだ。

「クッ……！」

クリスティーヌは身をかがめながら通路を走った。柱の陰から出てきたエレニカ達は連続してトリガーを絞り、走るクリスティーヌを狙うが、弾は当たらない。

クリスティーヌは突きあたりの扉を開けて、出ていった。

銃声が止んで、床に倒れていた佐藤は顔を上げた。

「……逃げた？」

出入り口の方から走る足音がして、顔を向けると、エレニカ達が出ていくのが見えた。

「ま、待ちなさい！」

佐藤は起き上がろうとしたが、高木が覆いかぶさっていて動けない。

「高木君、重い！　追うわよ！」

「は、はい！」

高木が慌てて起き上がると、反対側の柱から目暮が声をかけてきた。

「すまない。犯人は君達に任せる」

「わかりました。行くわよ！」

起き上がった佐藤は、出入り口に向かって走り出した。

「はい！」

高木も顔をしかめながら、後を追う。

チャペルを出たエレニカ達は、出入り口のすぐそばにあるパーテーションの陰に身を潜めていた。

すぐに佐藤と高木が扉から出てくる。

「きっと屋上に向かったはずよ！」

「奴はヘリで逃げるつもりですかね？」

「結婚式のセレモニーとしてチャーターしたヘリね。急がないと」

二人が階段の方へ走っていくのを見届けると、グリゴーリーがエレニカにたずねた。

「警察がそこら中にいるのに、ここから脱出するのは大変だぞ」

「警察は傷つけない。それがあの少年との約束だ。必ず奴を私達の元へ連れてくると言った」

エレニカは、カフェに現れたコナンを思い出した。自分達と交渉しているときの、真剣な眼差し。あの瞳に偽りはないだろう。

「信じよう、あの少年を」

エレニカの言葉に、グリゴーリーとドミトリーが反論することはなかった。

佐藤と高木は、屋上へ続く階段を駆け上がっていた。

「高木君、何やってるの!? 遅いわよ！」

佐藤の後をついて走る高木は、ずっと右脇腹を押さえている。

「実は飛び込んだときに、ちょっと腰やっちゃって……」

高木は歯をくいしばりながら、階段を上った。高木が通ったあとには、点々と血が落ちていた。

8

クリスティーヌが屋上に通じる扉を開けると、いつの間にか日が暮れて、きらびやかな渋谷の夜景が広がっていた。扉にチェーンをかけ、ヘリポートに上がる階段へ向かう。階段を上ると、ヘリコプターはまだ到着していなかった。

「チッ、遅れてやがる……」

クリスティーヌはスマホでヘリコプターの位置を確認し、ヘリコプターが飛んでいる方向を見上げた。

「もうあきらめた方がいいと思うけどな、クリスティーヌさん」

背後から声がして、クリスティーヌは驚いて振り返った。垂直に伸びたサーチライトの光の前に、人影が見える。

「……つか、もうプラーミャって呼んだ方がよさそうだね」

それは小さな子供だった。短い髪をなびかせながらポケットに手を突っ込んで立っている少年は、メガネ越しに子供らしからぬ険しい目でクリスティーヌ——プラーミャを見ている。

また、こいつか――プラーミャはこれまで何度も計画を阻害してきた少年にたずねた。

「お前……いったい何者だ？」

「江戸川コナン――探偵さ」

コナンはニヤリと不敵な笑みを浮かべた。


屋上に通じる階段を上ってきた佐藤は、ドアノブを回して扉を押した。しかし、扉はわずかしか開かない。

「うそ、開かない……」

隙間から覗くと、外側のドアノブにチェーンが巻かれていた。何度も強く扉を押してみたが、チェーンはびくともしない。


「探偵だと……？」

ヘリポートの上でコナンと対峙したプラーミャは、鋭い目つきでにらんだ。

「アンタの計画は失敗したんだ。彼らをまとめて殺害する計画はね」

プラーミャは黙って聞いていた。コナンが続ける。

「エレニカさん達ナーダ・ウニチトージティは、アンタを追って世界中どこへでもやってきた。さすがのプラーミヤも追い詰められた。だから、起死回生となる計画を立てたんだ。彼らを一カ所に集め、得意の爆弾で吹き飛ばす……」

突然、クリスティーヌがフッ、フフフ……と肩を震わせて笑い出した。

「さすが探偵を名乗るだけのことはある。お前の言うとおりだ、少年。私はまず自分が引退するという噂を流し、続いて村中に近づいたのよ」

「そして、村中さんを何者かが狙っているっていう話を作った」

コナンが先回りして言うと、プラーミヤは笑みを浮かべた。

「プラーミヤが絡んでいるとなれば、奴らは勇んでやってくる。私を捕まえる最後の機会じゃないかと焦ってね」

「アンタには、もう一つ目的があった。目撃者の暗殺だ。アンタはプラーミヤとしての自分の姿を見た者を全て殺害してきた。だけど……」

プラーミヤは「そう」とうなずくと、カッと大きく目を見開いた。

「私はかつてこの日本で屈辱を味わったんだよ。あの四人の警察官によって……！」

忌々しげに言い捨てたプラーミヤの顔は、激しい憎悪が満ちあふれていた。

三年前、プラーミヤは安室、松田、伊達、諸伏に爆破を阻害され、マスクをかぶっていたとはいえ姿を見られてしまった。

「ターゲットはそのときの……」

　コナンの言葉に、プラーミャは「ご名答」と言った。

「警視庁を深く調べた結果、松田はすでに殉職していて、伊達も交通事故で死んだ。残るは『ゼロ』『ヒロ』と呼ばれていた二人。『降谷』『諸伏』という名前だけはわかったが、どれだけ調べても、その二人の情報は出てこなくてねぇ……」

　夜空を垂直に照らすサーチライトが一つ、また一つと消えた。最後の一つが消えると、プラーミャは夜空を見上げた。遠くにヘリコプターのライトの光が見える。

「そこで、松田刑事を殉職させた爆破犯を使って、おびき出そうとしたんだな？」

　コナンがたずねると、プラーミャは「そう」とうなずいた。

「あの男を逃走させたら、慌てて穴から這い出してくるってね。思惑どおり降谷が現れ、爆弾をはめることに成功。そこまでやれば絶対にもう一人出てくる。そう読んでいたが、ここまでやっても出てこないということは……死んでいるんだろう？」

　コナンは答えなかった。代わりに別のことをたずねる。

「エレニカさんの兄、オレグさんが持っていたタブレット。あれも罠だったんだね」

「そのとおり」

　答えたプラーミャは、チラリと右を見た。そしてすぐに視線を戻して、説明し出す。

「わざと盗ませたタブレットを持って、奴が仲間の元に戻れば、そこで起爆させ、ナーダ・ウニチトージティを吹き飛ばせる。ところが奴は仲間に会うことなく、ずっと単独行動をし続け、松田に会って全てを話そうとしたわけだ。松田はもう死んでいるというのに」

コナンは話を聞きながら、プラーミヤが見た方向に目を向けた。すると、こっちに近づいてくるヘリコプターが見える。前に向き直ると——プラーミヤが左手で銃を構えていた。

「……タブレットに仕込んだGPSでマークしていたアンタは、警視庁に駆け込まれる前に爆弾を起動させたんだね」

「タブレットに仕込ませておいた『東京』というキーワードに、ナーダ・ウニチトージティの奴らは見事に食いついてくれたよ。しかし……」

プラーミヤは銃を構えたまま、自分の右肩をチラリと見た。

「あの男が、私の肩にある弾丸のことまで突き止めていたとは……誤算だったよ」

「オレグさんが残したメモで気がついたんだ。銃弾と肩。三年前、プラーミヤが弾を受けたのも肩だった」

ヘリコプターが近づいてきた。旋回しながら徐々に降りてくる。コナンは強い風を受けながら、蘭が書いたメモを思い浮かべた。

渋谷の地図の横に書いてあったのはロシア語の『ПУЛЯ』(プーリア)と『ПЛечо』

（プレーショー）。意味は『弾丸』と『肩』だ。

プラーミャはフッと苦笑いを浮かべた。

「取り出そうとすると神経を傷つけ、腕の動きに支障が出ると言われてねぇ」

「精巧な爆弾を作るアンタにとって、それは致命的だ。だから取り出すのをあきらめた。その代償として、右腕が上がらなくなったっていうのが真相か……」

もっと早く気づくべきだった——コナンはそう思いながら、病院の喫茶店で村中達と対面したときのことを思い浮かべた。村中の腕についた伝票を取るときも、村中に甘えながら頬に触れるときも、常に左手を使っていたのだ——。

旋回したヘリコプターはやがてヘリポートの中央上空で停止して、まっすぐ降りてきた。

「仕掛けた爆弾はどこにあるの？」

コナンがたずねると、プラーミャはローターの回転を緩めはじめたヘリコプターに近づいた。

「今さらそれを知ってどうする？」

「アンタの正体は、警察やナーダ・ウニチトージティを含め、多くの者に知れ渡った。もう爆発させても意味がないだろ？」

サーチライトが再び点いて、プラーミャはヘリコプターの扉を開けた。そしてパイロットに銃を向ける。

「さっき言ったはずだ。『私の正体を知る者は、誰一人生かすことはできない』と」

プラーミャは冷徹な目をコナンに向けた。

「のこのこ集まって馬鹿な奴らだ。ハロウィンを盛り上げるための飾りくらいにしか思ってないのだろう」

コナンはここに来るときに見た、街の通りに飾りつけられた無数のかぼちゃランタンを思い出した。

「まさか……あのランタンか！」

プラーミャはニヤリと笑った。

「ダミーも含めた液体火薬を、道玄坂、宮益坂などに配置しておいた。液体は一番低い場所――つまりスクランブル交差点を目指して流れ下る」

「なるほど……渋谷の高低差を利用したってわけか」

どの通りもスクランブル交差点も、ハロウィンの渋谷は大勢の人であふれ返っている。そこで爆弾が爆発したら……想像しただけでぞっとする。

「混じり合った大量の液体爆弾は、かつてないほどの大爆発を起こすだろう。そして私の正体を知る者は、全てこの世から消えるのだ」

ククク……ハーハッハッハッ！　恐ろしい計画を打ち明けたプラーミャは、満足そうに高笑いした。

「それが聞きたかったんだよ」

突然、ヘリコプターのパイロットが口を開いた。プラーミャが目を向けたとたん、パイロットの足がプラーミャのスマホを蹴り上げ、回っているローターに当たって粉々になった。パイロットはすかさず掌底をプラーミャの右肩に叩き込んだ。ゴキッと鈍い音がして、

「ぐあああああ!!」

プラーミャは絶叫しながら倒れて転がった。ヘリコプターから降りてきたパイロットが、サングラスを取る。その顔と、首にはめられた爆弾を見て、右肩を押さえたプラーミャは目を見張った。

「お前は……降谷零!?」

「……お前を捕まえようと思えばいつでもできた」

「爆弾のありかを吐かせるため、わざとここまで泳がせたのさ」

コナンはヘリコプターに近づきながら言った。蘭が描いた図形——渋谷の地図で、大体の予想はできていたが、爆弾の場所を確実に知りたかったのだ。

「小僧……」

プラーミャがコナンをにらみつけながら起き上がったとたん、屋上の扉が勢いよく開いて、消火器と足で扉を蹴り破った高木が倒れ込んだ。その後ろから佐藤が飛び出し、銃を構えて走ってくる。

「プラーミャ！　もう逃げられないわよ‼」

安室もプラーミャに銃口を向ける。

「……私もここまでか」

プラーミャは脱臼した右肩をつかみ、ゴキッと元に戻した。

「さぁ、手を上げて、頭の後ろに回すんだ」

銃を構えた安室が命令すると、プラーミャは大人しく左手を頭の後ろに回し、結い上げた髪に触れた。プラーミャは一つにまとめた髪の中に手榴弾を隠していた。

「ああ、わかったよ――‼」

束ねた髪の中から手榴弾を取り出したプラーミャは、体をひねり、ビルの向こう目がけて手榴弾を思いきり投げた。

「こうなったら一人でも多く道連れだ！」

「くっ！」

安室はすばやくしゃがんでヘリコプターのドアの下を転がると、飛んでいく手榴弾を銃で狙った。しかし、サーチライトが一斉に点いて、その光で見えなくなる。

そのとき、コナンが安室の前に飛び出してきた。ザッと足を滑らせて止まり、すばやくキック力増強シューズのダイヤルを回す。そしてベルトのバックルのボタンを押した。

「行っけえええーっ!!」

バックルから飛び出したサッカーボールを思いきり蹴る——！

ビルの向こうへ突き進んだサッカーボールは、手榴弾の底部をかすった。弾かれた手榴弾が回転しながら上昇していく。

「ああっ！　外れた！」

佐藤が声を上げると、コナンは「まだだ!!」とサッカーボールを目で追った。

手榴弾をかすったサッカーボールは、そのまま一直線に飛んで、向かいに建つ渋谷スクランブルスクエアのガラスの壁に直撃した。ガラスの壁でガガガ……と激しく回転したボールは、ドン、ドン、ドン、ドン！　と勢いよく跳ねて上方へ飛んだ。

「当たれぇ——！　花火ボール!!」

渋谷スクランブルスクエアの屋上を越えて高く飛んだ手榴弾に、サッカーボールが迫る。

そして、手榴弾に当たった瞬間——夜空に鮮明な光が放射線状に放たれた。渋谷の上空で手榴弾が爆発したと同時に、大輪の花火が咲いたのだ。

花火が消えていくのを見上げて、コナンはフゥ……と息をついた。すると、背後でローターの回転音が大きくなった。振り返ると、プラーミャがいつの間にかヘリコプターに乗り込んでいた。バタンとドアを閉める。

「やべぇ！」

コナンと安室の前で、ヘリコプターは風を巻き起こしながら上昇していく。

ヘリコプターの操縦席に座ったプラーミャは、ベルトにつけたホルダーからスマホを取り出した。

「用心のためにスペアは持っておくもんだな」

そのとき、パァンと乾いた音がして、ヘリコプターのフロントガラスに銃弾が当たった。防弾仕様になっているフロントガラスは、難なく銃弾をはね返す。ヘリポートでは銃を構えた安室が悔しそうにこっちを見ていた。プラーミャはフフフ……と笑う。

「お前から一足先にあの世に送ってやるよ。その首輪爆弾で！　ハハハハハ」

高笑いを響かせながら、スマホのボタンをタップした。

次の瞬間——ドオン！　夜空に爆発音が響いた。

爆発したのは安室の首輪爆弾ではなく、ヘリコプターの後部座席だった。ドアが吹き飛び、炎と爆風が操縦席に押し寄せる。

安室はゆっくり立ち上がり、煙を巻き上げながら飛ぶヘリコプターを見上げた。

「こんなこともあろうかと、君からの贈り物は返しておいたよ」

首に巻かれた首輪爆弾をむしり取り、夜空に浮かぶ満月に向かって放り投げる。外した首輪爆弾は、空中でバラバラになった。

安室がしていた首輪爆弾は、ダミーだった。本物はヘリコプターの後部座席に隠しておいたのだ。

バランスを崩したヘリコプターの中で驚いているプラーミャの顔が見えて、安室はフッと笑った。

「爆弾の液体は完全に分析して中和剤を作り、回避させてもらったよ。僕の優秀な部下によってね」

今ごろ地下シェルターでは、爆弾を解体した風見が疲れ果てて眠っていることだろう。

「液体はこちらで作ったもの。気に入っていただけかな?」

「降谷っ!!」

プラーミャは、ヘリコプターの中から鬼の形相で安室をにらみつける。

しかし機体制御ができなくなったのか、ヘリコプターは回転しながら高度を下げ、ヘリポートの上をかすめるように飛んだ。ヘリコプターのスキッド(着陸用の脚)が安室の頭上を通り過ぎて、かぶっていた帽子が飛んでいく。安室はヘリコプターを追って走り出した。

「下で待っててくれ!」

「安室さん!」

火の粉が舞い散る中、ヘリポートを突っ切った安室は、屋上の縁から大きくジャンプした。左手の銃を離し、右手をヘリコプターに向かって伸ばす。ヘリコプターのスキッドをつかんだ安室は、そのまま一回転して、ドアが吹き飛んだ後部座席に足から飛び込んだ。

そしてすかさず操縦席のプラーミャに拳を放つ。

左腕で安室の拳を受けたプラーミャは、窓ガラスに吹っ飛んだ。

「今度こそ君を逃がさないよ」

安室がニヤリと笑うと、プラーミャの強烈な蹴りが飛んできた。

「しつこい男は嫌いだね!」

安室が蹴りを間一髪でよけると、プラーミャはさらにキックを繰り出した。

渋谷駅のハチ公前広場には、ハロウィンのコスプレをした若者達が大勢集まっていた。

「ねぇ、アレ見て」

魔女のコスプレをした女の子が、夜空を指差した。

仲間が女の子の指差した方向を見上げると、煙を上げたヘリコプターがふらふらと飛んでいるのが見える。

「あのヘリ、なんかやばくない？」


ヘリポートの端に立ったコナンは、機体を揺らしながらふらふらと飛ぶヘリコプターを見上げていた。するとそこに佐藤と高木が駆け寄ってきた。

「なんて無茶な！　ヘリに飛び乗って犯人と闘うなんて……」

ヘリコプターを見上げた佐藤は、コナンの方を向いた。

「コナン君、知り合い？　犯人に隠れてちょうど見えなかったのよ」

「下に行こう！」

コナンはそう言うと、階段へと走り出した。

「あ、ちょっと！　あのパイロット、何者なの!?　ねぇ！」

佐藤の呼びかけには答えず、コナンは階段を下りていった。

大きく回転しながら徐々に高度を下げていくヘリコプターの中で、安室とプラーミャは格闘を続けていた。

安室はプラーミャのパンチとキックを続けてかわすと、左拳を放った。プラーミャはすんでのところでかわし、くるりと回って蹴りを放つ。脇を蹴られた安室の体はドアまで吹っ飛んだ。さらにプラーミャの左足が飛んできて、ギリギリでよける。窓に張りついた安室は、すぐに振り返って拳を突き出した。同時にプラーミャの膝蹴りが飛んでくる。

プラーミャは左手で安室の拳を止め、安室は左腕でプラーミャの膝蹴りを受け止めた。互いの攻撃を受け止めた二人は、しばしその状態でにらみ合う。が、次の瞬間、ヘリコプターの尾翼がビルに当たって、機体が大きく揺れた。

尾翼が欠けたヘリコプターは、もはや完全に制御不能になった。ボンッと小さな爆発が起きて、操縦席のドアが落ちた。回転しながら、スクランブル交差点へと落ちていく。

機体の外へ放り出された安室は、プラーミャの右手をがっちりとつかんでいた。

「離せ、この野郎……っ！」

左手で操縦席のスティックをつかんだプラーミャは、安室を蹴り落とそうと足を動かす。

安室はプラーミャの右手にぶら下がりながら、眼下を見下ろした。落ちてくるヘリコプターに気づいた人々は蜘蛛の子を散らすように逃げていき、人であふれ返っていたハチ公前広場やスクランブル交差点にはもう誰もいない。
「お前の思惑はもう叶わない。残念だったな！」
安室に言われて、プラーミャは首をひねって下を見た。地面はもうすぐそこに迫ってい
た。広場に設置された大きなジャック・オ・ランタンの人形が見える。
煙を上げたヘリコプターは旋回しながら落下し、ジャック・オ・ランタンの人形に衝突
して地面に墜落した。次の瞬間、ヘリコプターは爆発し、油の混じった黒煙を噴き上げた。

渋谷の各地では、集まった人々に警察が拡声器で避難を呼びかけていた。

「急いで渋谷から離れてください！」

「テロの可能性があります！　すみやかに避難を！」

ヒカリエのエントランス付近でも、目暮や白鳥達刑事が避難するよう叫ぶ。

「なるべく駅から離れてください！」

「急いで！」

小五郎の病室にいた蘭は、外から騒ぎ声が聞こえてきて、カーテンを開いた。すると、
病院の前をハロウィンのコスプレをした大勢の若者達が、逃げるように走っていく。

「……なんの騒ぎ？」

蘭はわけがわからず、呆然と逃げていく人々を見下ろした。

阿笠博士と子供達は、ビートルに乗って渋谷に向かっていた。

渋谷に近づくにつれて道路は渋滞し、さらに渋谷駅方面から大勢の人達がぞろぞろと走ってきて、車道にも人があふれている。

元太は後部座席の窓から、逃げる人々を見ていた。

「これだったら歩いたほうが速いぞ」

隣の光彦が身を乗り出し、運転席の阿笠博士にたずねる。

「コナン君からのメールには、渋谷の交差点の真ん中で待ってろって書いてあったんですよね？　それを持って」

と、助手席の灰原を覗き込んだ。灰原はボール射出ベルトを持つ手を膝の上に置いていた。光彦の隣に座った歩美も身を乗り出す。

「博士、いいでしょう？」

「あ、ああ……」

阿笠博士は、灰原に目を向けた。後部座席の三人も、灰原を見る。

「……仕方ないわね。走るわよ！」

灰原は海賊の帽子を取ると、ドアを開けて外に出た。後ろの三人も続いて出てくる。

「十分気をつけるんじゃぞ～！」

子供達は避難する人々の流れと反対方向に走り出した。


ハチ公前広場に墜落したヘリコプターは、ジャック・オ・ランタンの人形の残骸と共に激しい炎と黒煙を噴き上げていた。そのそばには、頭から血を流してボロボロになった安室がへたり込んでいた。地面に転がった、割れたプラーミャのスマホを見つめている。

「これで爆発は防げるか……？」

そのとき、背後で人の気配がした。ハッと振り向くと――血だらけになったプラーミャが立っていた。鋭く尖ったヘリコプターの破片を握っている。

「貴様のせいで……貴様ごときのせいで、私の計画が台無しだ!!」

プラーミャは鬼のような形相で叫んだ。安室は反射的に、まずいと思った。足をケガしていて、すばやく動くことができないのだ。

プラーミャは鋭く尖った破片を振り上げた。

「死ねぇぇぇぇ――!!」

叫びながら、突進してくる。安室はとっさに頭をかばうように腕を上げた。

すると突然、プラーミャが安室の前で膝をつき、そのままバッタリと前に倒れた。

驚いた安室が見上げると——胸の前で手刀を立てた村中が立っていた。プラーミャのうなじに手刀を打ち込んだのだ。

「元刑事として、これ以上犯罪を見過ごすわけにはいかない」

「あなたは……」

安室が驚いていると、村中は冷静な顔で言った。

「君は早くここから離れなさい」

「え？」

「ここにいたらまずいんじゃないか。君は公安の人間なんだろう？」

安室は目を見張った。「なぜそれを⁉」

「長いこと刑事をやってたんでね。わかるんだよ、勘で。まあ、婚約者にはその勘が働かなかったようだがな」

村中はそう言って、うつ伏せで倒れているプラーミャを見る。安室はよろよろと立ち上がった。

「大丈夫。目暮達には黙っておくさ。……生きていればな」

苦笑いした村中は、道玄坂の方を振り返った。安室もハッとして見る。通りに沿って吊るされた無数のかぼちゃランタンが次々と割れて、中から出てきた水色の液体が通りに流れ出ていた。ドロリとした液体が道路に広がり、坂になった道をじわじわと流れていく。

渋谷駅から反対に伸びた宮益坂も、割れたかぼちゃランタンから液体が流れ出ていた。ピンク色の液体が道路を埋め、渋谷の谷底になるスクランブル交差点へとゆっくり流れていく――。

立ち上がった安室は、足を引きずりながら歩き出した。村中に言われたとおり、ここから早く立ち去らなければいけない。

残った村中は、プラーミャの手首をロープで縛った。立ち上がり、複雑な表情でプラーミャ――クリスティーヌを見つめる。

警察の目を逃れてヒカリエから脱出したエレニカ達は、ヘリコプターが墜落したハチ公広場に来ていた。銅像の陰から様子をうかがうと、村中がプラーミャの手首を縛ったところだった。

「今なら、奴を殺れる」

エレニカは体を起こし、拳銃のスライドを引いた。

「……キリル、ママが仇をとるよ」

ようやくこの時が来た。殺された家族の仇を討つときが——。

エレニカはトリガーに掛けた指に力を込めた。そのとき、

「ダメだ!!」

エレニカの視界に、スケボーに乗ったコナンが飛び込んできた。コナンは大きくジャンプして、エレニカ達の前にある植え込みのレンガに立った。

「撃っちゃダメだ、エレニカさん!!」

「どけ、少年！　邪魔をするならお前も撃つぞ！」

エレニカは、両手を広げるコナンに銃口を近づけた。

「プラーミャを撃ったところで、息子さんはかえってこないよ」

コナンの言葉に、銃口がぴくりと動く。

「お前に何がわかる！　私は息子も夫も兄もみんな奴に殺された！」

エレニカは拳銃を握りしめたまま、堰を切ったように叫び続けた。

「もう元の生活には戻れない！　悪事もたくさん働いた！　奴を殺すためだ！　全てを犠牲にしてここまで来たんだ!!」

憎悪をむき出しにして吠えるエレニカの目に、涙がたまる。

「この手で殺さないと気が済まない！　どけ、少年！」

コナンは拳銃を持つエレニカの手に、そっと手を添えた。そして拳銃を下ろさせる。エレニカは抵抗しなかった。拳銃を持ったまま、ぐっと身を乗り出す。

「……なぜ、殺されねばならなかったんだ？　夫は警察官として、政治家の子供だった殺人事件の容疑者を逮捕しただけだ。それを裁判で証言しようとしたら消された。息子を巻き添えに。夫と息子は何か悪いことをしたのか？　なぁ、教えて――」

胸元のペンダントに涙をこぼすエレニカを、コナンはそっと抱きしめた。涙が止まらなくなったエレニカは嗚咽を上げ、瞬く間に号泣へと変わった。泣き崩れるエレニカを、グリゴーリーとドミトリーは複雑な思いで見つめる。

すると、村中が意識のないプラーミャを抱えて、歩み寄ってきた。

「必ずこの者には罰を与える。だから信じてほしい、日本の警察を」

コナンは、泣いているエレニカの顔をまっすぐ見つめた。

「エレニカさん、協力して。これ以上悲劇を増やさないためにも、あなた達の助けが必要だ。〝ナーダ・ウニチタジャーチ〟」

止めよう、プラーミャの爆弾を――コナンがロシア語で言うと、エレニカは涙を止めた。

9

車も人もいないスクランブル交差点のど真ん中に、元太達は立っていた。

「コナンくーん！」

「コナーン！」

「どこにいるんですかー！」

静まり返った交差点で叫んでいると、コナンがスケボーに乗って現れた。

「お前ら！　どうしてここに⁉」

「話は後。博士から預かったわ。――はい、これが新しいベルトよ」

灰原は持っていたボール射出ベルトをコナンに渡した。

「サンキュ」

受け取ったコナンは、道玄坂の方を見た。道路を埋めつくした水色の液体はじわじわと坂を流れ、SHIBUYA109の前で文化村通りから流れてきた液体と合流して、スクランブル交差点に迫っている。

「クソッ、もう時間がない！」

「あっ、こっちも」

　コナン達と反対方向を見ていた歩美が、声を上げた。

　宮益坂や明治通りを覆ったピンクの液体が渋谷駅の方へ流れてきて、もう高架の手前まで来ている。

「仕方ねぇ。博士に送ったメールは見たんだよな。できるか？」

　コナンはボディバッグから伸縮サスペンダーを取り出し、ボタンを押して伸ばした。光彦、歩美、元太、灰原がそれぞれ、サスペンダーの端を持つ。

「ええ。このサスペンダーの端を持って走り……」

「ガードレールとか信号機とかに結べばいいんだよね？」

「楽勝だぜ」

　灰原は探偵バッジを掲げた。

「結んだら、探偵バッジで江戸川君に合図。いいわね、みんな。行くわよ！」

「うん！」「はい！」「おう！」

　灰原の合図で、サスペンダーの端を持った四人は一斉に四方へ走り出した。スクランブル交差点のど真ん中に立ったコナンを中心に、サスペンダーが四方へ伸びていく。

ハチ公前広場からコナン達の行動を見ていたエレニカは、グリゴーリーとドミトリーに言った。

「彼らを手伝おう。他のメンバーにも連絡を」

「いいのか？　これが最後のチャンスかも……」

グリゴーリーは、村中に抱えられたプラーミャをチラリと見て、訊いた。すると、エレニカはグリゴーリーの方を振り向いた。

「これ以上、我々と同じ境遇の人々を増やしてはいけない」

きっぱりと言うその顔に、迷いはなかった。

「……わかった」

グリゴーリーがうなずくと、エレニカはスクランブル交差点の方へ走り出した。グリゴーリーとドミトリーも後を追う。

プラーミャを抱えた村中は、エレニカ達を見送った。すると、

「村中！」

目暮と白鳥が駅の方から走ってきた。

「目暮！　いいところに来た」

「捕まえたのか!?」

目暮は抱きかかえられたプラーミャを見て言った。

「ああ、後は頼む」

村中は目暮にプラーミャを引き渡した。「私も行かなくては」

「え？　どこにです？」

白鳥がたずねると、村中はスクランブル交差点の方を見て、フッと微笑んだ。


スクランブル交差点の真ん中に立ったコナンは、四方に伸びた伸縮サスペンダーの中心にボール射出ベルトをつけていた。

ふと顔を上げると、ピンクと水色の液体は着々と交差点に迫っていた。

(流れが速い。急いでくれ……!!)


宮益坂方向に走っていった歩美は、高架下でサスペンダーを引っ張っていた。柵にサスペンダーを結びたいのだが、あと少しというところで届かない。

「う〜ん!!　あとちょっとなのに……わっ！」

突然、サスペンダーの縮む力が弱まって、歩美は転びそうになった。

「手伝うわ。そこに結べばいい？」

目の前には、サスペンダーを持ったエレニカが立っていた。

光彦は神宮通りを走っていった。渋谷マークシティの連絡通路下あたりまで来て、道路標識にサスペンダーを結ぼうとしていると、グリゴーリーが現れた。

「俺に任せろ」

センター街に走った灰原の元には、ドミトリーが駆けつけた。灰原の代わりに、消火栓にサスペンダーを結ぶ。

「……ありがとう」

灰原はロシア語でお礼を言った。

ハチ公前広場の地下入り口に走った元太のところには、村中がやってきた。入り口の柱にサスペンダーを結ぶ。

「助かったぜ！」

『準備完了!!』『準備完了!!』『準備完了だ!!』『準備完了よ!!』

コナンの探偵バッジに、子供達からの合図が次々に入ってきた。

「よし！」

コナンは、サスペンダーの中心にバックルを下にして取りつけたベルトの調整ダイヤルを回した。そして射出ボタンを押す。すると、バックルの真ん中が開いてサッカーボールが出てきた。四方に伸びたサスペンダーの下で、ボールがすごい勢いで膨らんでいく。コナンはスケボーを抱えると、サッカーボールの上に飛び乗った。

ボールはどんどん膨らんで、ハチ公前広場に迫った。プラーミヤを抱えた白鳥と目暮が慌てて走っていく。やがて墜落したヘリコプターもサッカーボールに埋もれていった。

センター街の灰原とドミトリー。マークシティの連絡通路下の光彦とグリゴーリー。ハチ公前広場の地下入り口の元太と村中。それぞれの場所で皆、サッカーボールが大きく膨らんでいくのを見守っていた。

「コナン君……」

歩美とエレニカも、高架近くで心配そうに見つめていた。ピンク色の液体は、二人の足元にまで流れてきていた。

巨大に膨らんだサッカーボールの上に乗ったコナンは、道玄坂の方から迫る水色の液体を見つめていた。

「急いでくれ……」

そのとき、背後の方から「きゃあああ！」と歩美の叫び声がした。振り返ると、高架のそばで、エレニカと歩美がサスペンダーを引っ張っていた。ボールが巨大に膨らむにつれてサスペンダーが限界まで伸び、サスペンダーを結んでいた柵が引っ張られて倒れそうになっているのだ。

耐えられなくなった柵がバキッと折れ、サスペンダーを持っていたエレニカと歩美は弾き飛ばされた。

「歩美！」

コナンはスケボーのスイッチを足で押し、ボールの頂上からサスペンダー伝いに走った。が、バランスを崩して、迫ってきたピンクの液体に落ちる。

「歩美！　待ってろ！」

コナンはすぐに起き上がって、歩美の元へ駆け寄ろうとした。しかし、膝下までドロドロの液体につかって、思うように進めない。

サスペンダーをつかんだ歩美は、液体に半分沈みながらどんどん引きずられていく。すると、折れた柵に結ばれたサスペンダーの端を誰かがつかんだ。

「大丈夫かい!?」

それはヒカリエから駆けつけた高木だった。後ろから佐藤も、液体に足を取られながら歩いてくる。

そのとき、佐藤は、高木が進んだ液体の上に血が点々と落ちているのに気づいた。サスペンダーを引っ張っている高木の腰のあたりから、じわじわと血がにじんでいる。チャペルで佐藤をかばおうと飛び出したとき、プラーミャに撃たれたのだ。

「ひどいケガ！　どうして黙ってたの!?　早く救急車――」

「ダメです！」

高木はサスペンダーを引っ張りながら叫んだ。

「今ここを離れるわけには……これを押さえないと……くっ！」

足がズルッと滑って、高木は慌てて踏ん張る。

「……もうわかったわよ！」

佐藤は液体の中を進み、サスペンダーをつかんだ。コナンも佐藤の後ろで、サスペンダーを引っ張る。

そのとき、コナンの探偵バッジに通信が入った。

『江戸川君！　これ以上大きくなるとマズイわ！』

『もっと丈夫な柱に結び直さないと……！』

『オレ達だけじゃ無理だ〜〜〜!!』

どこも限界だった。このままではサッカーボールを押さえているサスペンダーが外れてしまう——！

（クソッ！　もっと人数が必要なのに……！）

コナンはサスペンダーを引っ張りながら、歯噛みした。

佐藤の前でサスペンダーを引っ張る高木の足元には血が滴り落ち、力が入らなくなった高木は尻餅をつく。

「高木刑事！」「高木君！」

コナンはサスペンダーを引っ張りながら、周囲を見回した。

（みんな避難しちまって誰もいねぇ！　このままだと渋谷が火の海に——）

じりじりと引っ張られていく中、コナンの頭に蘭の姿が浮かぶ。

（蘭——！）

「……新一？」

小五郎の病室にいた蘭は、ふと新一に呼ばれたような気がして、カーテンの方を振り返った。

が、すぐにそんなわけないと思い直し、小五郎が寝ているベッドに向き直る。

今頃、新一はどうしているんだろう――蘭はふと思った。

また事件に首を突っ込んで、危険な目に遭ったりしていないだろうか――。


巨大なサッカーボールは、スクランブル交差点を埋めて、周囲のビルに迫る勢いでさらに膨らんでいた。宮益坂を下るピンクの液体と、道玄坂や神宮通りを下る水色の液体が、ボールの下に徐々に流れ込んでくる。

コナンは懸命にサスペンダーを引っ張った。しかし、膝下まで来ている液体の中では、踏ん張りがきかず、足を滑らせてしまう。

そのとき、大きなごつい手がサスペンダーに伸びた。

「手伝うよ、坊主」

コナンの背後には、大勢の外国人が立っていた。ナーダ・ウニチトージティのメンバーだ。先頭でサスペンダーを引っ張っていたエレニカが振り返る。

「セルゲイ！　みんな！」

セルゲイはサスペンダーを持った。他のメンバーもサスペンダーの両脇に集まって、引っ張る。

「エレニカ、我々のリーダーはお前だ。お前の進む道に、俺達はついていくよ。他のみんなも賛同している。お前一人で背負うことはない」

「……ありがとう」

お礼を言うエレニカの目には、涙がたまっていた。

灰原、光彦、元太の元にもエレニカの仲間が駆けつけ、皆でサスペンダーを引っ張った。一度はサッカーボールの中心からずれたサスペンダーも、四方から引っ張ることで、再びボールの中心に戻った。

「せーの！　せーの!!」

エレニカ達は全力でサスペンダーを引っ張った。そばでは佐藤が高木に肩を貸し、歩美が「せーの！」と応援する。

仲間達のおかげでサスペンダーを十分に引っ張ることができたエレニカは、先端を頑丈な柵に巻きつけて結んだ。「これでもう大丈夫だろう」

コナンの探偵バッジにも、灰原達から報告が入ってくる。

『こっちも結び直したわ』

『バッチリです！』

『任務完了だぜ！』

「サンキュー、お前ら！」

コナンはエレニカがサスペンダーを結んだ柵にスケボーで乗ると、サスペンダーを一気に駆け上がった。

「何者なの？　あの子……」

エレニカやその仲間達は、驚いた顔でコナンを見上げる。

「コナンく——ん!!」

歩美は力の限り叫んで、コナンを応援した。

「行っけえええ————!!」

灰原、光彦、元太もそれぞれの場所でコナンを見守る。

サスペンダーを駆け上ったコナンは、サッカーボールの頂上の手前で大きくジャンプした。ボールの頂上に落下して、サスペンダーの中心にあるボタンを押す。すると、四方に伸びたサスペンダーが縮み始めて、サッカーボールに食い込んだ。まんまるだったボールが、縮むサスペンダーに上から押されてつぶれはじめた。地面に押しつけられたボールが横に膨らんで、交差点沿いに立つビルや細い路地に食い込んでいく。

スクランブル交差点で膨れ上がったサッカーボールは、液体が流れる宮益坂、道玄坂、神宮通りを、その巨体ですっぽりと塞いだ。

すると、遮断された大量の液体が、今度は坂を逆流しはじめた。センター街で立ってい
た灰原に、液体の波が押し寄せる。

「きゃっ！」

ドミトリーが灰原に手を伸ばし、抱えて走った。

押しつぶされたボールはさらに膨らんで、標識やバス停の屋根を破壊しながら広がって
いく。

「しっかりつかまってろ！」

マークシティの連絡通路下にいた光彦は、グリゴーリーにおんぶされて逃げる。

元太と歩美は、それぞれ階段の上に避難していた。元太や村中の前を水色の液体が、歩
美や佐藤、高木の前にはピンクの液体が流れていく。

サスペンダーに押しつぶされて横に大きく広がったサッカーボールは、高架の手前でよ
うやくその動きを止めた。

巨大なサッカーボールの上に立ったコナンは、眼下にたまった二色の液体を見下ろした。

満月の明かりに照らされて、美しく煌めいている。

コナンはその場に座り込むと、フゥ……と息を吐いた。

「止まった……」

渋谷エリアで最も高い渋谷スクランブルスクエアの屋上に、ボロボロな姿の安室が立っていた。肩に掛けた風見の上着を風になびかせながら、渋谷の街を見下ろす。

スクランブル交差点の巨大なボールを境に広がったピンクと水色の液体には、四方から駆けつけた放水車が中和剤を撒いていた。

「ここにいたんだ」

声をかけられて振り返ると、コナンが歩いてきた。

「なんとかなりそう？」

安室はフッと笑い、再び街を見下ろした。

「あと一時間もすれば、完全に中和できるらしい」

「さすが公安。仕事が早いね」

「さすがなのは君の方だよ」

「え？」

コナンは安室の前で立ち止まった。

「よくあんな手を思いついたな」

膨らませたボールで二方向から来た液体を遮断するなんて、普通はとても思いつかないことだ。

「……ヒントをくれた人がいるんだ」

コナンは眼下のサッカーボールを眺めながら、ぽつりと言った。

「ずいぶん前のことになるけど……」

＊　＊　＊

あれは確か、七年前のことだ。

小学四年生だった新一は、公園でサッカーボールを蹴っていたら、水飲み場の蛇口を取りつけたパイプに当たってしまい、水が噴き出してきたのだ。

「新一が、ボール変なところに当てるから……」

びしょ濡れになった蘭は泣き出してしまった。

「泣くなよ、蘭。大丈夫だから」

複数の蛇口を横一列に取りつけたパイプは、ジョイント部分が外れて、左右から水を噴き出していた。新一は、水を噴き出すパイプの端と端を両手で押さえた。

「うわっ！」

思った以上に水の勢いが激しくて、新一の小さな手では止められない。水がさらに噴き出してきて、蘭は「きゃあ～！」と悲鳴を上げた。

「ク、クソッ！」

新一は焦った。両手を離したら水がもっと噴き出すし、かといってこのまま手で塞いでいても水は止まらないし――。

「こら、ボウズ！」

突然、声をかけられて、新一はギョッとして振り返った。すると、野球のグローブを手にはめた若い男が、蘭の横でしゃがんで蘭の頭をなでていた。

「テメェの女、泣かしてんじゃねぇよ」

「はぁ⁉」

その若い男は新一に近づいてくると、新一の手をパイプから離し、パイプの間に野球のボールを押し込んだ。すると水がピタリと止まる。

「止まった……！」

新一が驚いていると、襟足の長い黒髪に垂れ目の男は、軽くウインクした。すると、

「ハギ、何やってんだぁ～？」

男の仲間らしき人達が歩いてきた。

「陣平ちゃん！　電話！　水道局！」

男が声をかけると、

「あ？　なんで？」

陣平と呼ばれた男は、何がおこっているのかわからずきょとんとした。

＊＊＊

「急に思い出したんだよ。あの手を使えば、爆発を止められるかもしれないって」

コナンは話をしながら、地下シェルターで見た安室の同期達の写真を思い出した。

「その人が、なんだか萩原って人に似てたんだよね」

そう言って安室の方を見ると、安室は夜空を見上げていた。

「どうかした？」

「……いや、別に」

安室は少し寂しげに微笑んだ。

満月が煌々と輝く夜空に、同期四人の顔が浮かぶ。
またお前らに助けられたな——安室は心の中でつぶやいた。

宮益坂を埋めつくしていた液体は、中和剤によって緑色に変化していた。液体がない道路には救急車や消防車がたくさん停まっていて、そばの歩道では目暮と白鳥が村中や子供達に事情を聴いていた。


「あれ〜？　さっきまでいたのに……」

「どこ行っちゃったんだよ〜」

歩美と元太はキョロキョロと周囲を見回して、エレニカ達を捜した。さっきまで一緒にいたのに、気づいたら一人残らずいなくなっていたのだ。

「あの人達がいたから、ボク達助かったんです！」

「いなかったら、今ごろ渋谷は火の海だっただろう」

光彦と村中は、目暮に訴えた。

高木は担架に乗せられ、ミヤシタパークそばに停まった救急車に運び込まれた。

「高木君！　気をしっかり！」

意識がもうろうとした高木に、佐藤が声をかける。

「……佐藤さん……」

高木は憔悴した顔で佐藤を見つめた。すると、

「おーい、こっち手伝ってくれ！」

外にいた救急隊員が声をかけてくる。

「はい！」

救急車の中にいた救急隊員達は、高木と佐藤を残して出ていった。

担架に横たわった高木は、よろよろと右手を伸ばした。

「……佐藤さん。たぶん僕、この後手術することになると思うんですけど」

「そ、そうね」

佐藤は差し出された高木の手を握った。

「それがうまくいくように、おまじないを……」

「おまじない？」

佐藤が聞き返すと、高木は頭を上げた。佐藤が高木の口元に耳を近づける。おまじないの内容を聞いた佐藤は、えっと驚いて顔を上げた。その顔が真っ赤になる。

「……ったく、そんな元気があるなら大丈夫そうね」

佐藤は恥ずかしそうに髪をかき上げると、高木に顔を近づけた。
ちょうどそこに、事情聴取を終えた子供達が現れた。子供達は、高木と佐藤がキスしているところを、ばっちり見てしまった。

渋谷スクランブルスクエアから出てきたコナンは、スクランブル交差点の方へ歩いた。すると、子供達が向こう側から走ってきた。村中もいる。

「すごいです！」

「よくやった、コナン！」

子供達がコナンを絶賛すると、村中も「すごいな、君！」とコナンを両手で高く持ち上げた。恥ずかしくなったコナンが足をバタバタさせると、子供達はアハハ……と笑った。

エレニカ達『ナーダ・ウニチトージティ』のメンバーは、スクランブル交差点沿いのビルの屋上にいた。しぼんでいくサッカーボール越しに、ハチ公前の大型ビジョンが見える。
やがて大型ビジョンにプラーミャ逮捕のニュースが流れて、エレニカ達はそれを無言でじっと見つめていた。

自分の部屋に帰ってきた安室は、キッチンからバーボンとグラスを二つ持ってきて、座卓の上に置いた。

スマホスタンドにスマホを横にして立てかけ、同期五人が写った写真を表示する。

二つのグラスにバーボンを注ぐと、一つを手に取り、もう一つのグラスにコツンと合わせた。


ずっと眠っていた小五郎は、夜になってようやく目覚めた。上半身を起こして、ふあああ～っと大あくびをする。

カーテンの隙間から外を見ていた蘭は、驚いて振り返った。

「お父さん！　大丈夫!?」

「あ？　腹減った」

小五郎は何事もなかったように、いつもの調子で言った。元気な様子を見て、蘭はホッと胸をなでおろした。


病院の廊下では、目暮、白鳥、佐藤が高木の手術が終わるのを待っていた。

手術は長時間に及んでいた。毛布を肩に掛けた佐藤は、目暮の横に座り、じっとうつむいている。

しばらくして、手術室のドアが開き、中から執刀医らしき医師が出てきた。目暮と佐藤が立ち上がる。

医師は手術帽を取り、険しい表情で話し出した。医師の言葉を聞いた佐藤の表情が強張る――。

10

残照が西の空を茜色に染める頃、月参寺の本堂には読経の低い声が響いていた。袈裟を着た僧侶の背後には、大勢の警察官が列席している。たくさんの供花が並べられた祭壇には、高木の遺影写真が飾られていた。

喪主席には白鳥と佐藤が座っていた。ハンカチを口に当てた佐藤がうつむいている。焼香の列に並んでいた千葉は、祭壇の遺影を見て、悲痛な顔をした。

するとそのとき、本堂の扉がスパァン！ と開いた。凶器を持った男達が立っている。

「高木ィ――！」

「何勝手に死んでんだ！ バカヤロー！」

暴漢達は泣きながら「うおおおお―――!!」と本堂に突っ込んできた。読経していた僧侶がバッと振り返る。

「それ確保ォ！」

僧侶は目暮だった。参列者が次々に立ち上がり、暴漢を待ち構える。

「うおおお―――!!」

参列者達と暴漢達が正面から激突し、もみ合いになった。

「おのれ暴漢!!」

喪主席にいた佐藤も数珠を持ったまま格闘する。

「それいけ！　よおし！　そこだ！」

棺の前では木魚ばちを持った目暮が、刑事達の格闘を見て、パンチやキックを放つ。すると、投げ飛ばされた暴漢が棺の上に落ちてきて、遺影写真をなぎ倒した。さらにもう一人刑事が飛んできて、焼香台の上に落ちた。吹っ飛んだ香炉が棺の中に入り、舞い上がった灰の中から、死装束姿の高木が咳き込みながら出てきた。

「ちょっと、病院で寝てたのに……今度は何!?」

しかし、目暮は高木に目もくれず、

「何をやっとる！　今度は方面本部長のお婆様の葬儀を襲撃すると、予告があったんだぞ！　訓練だからって気を抜くな！」

「はい!!」

一同は返事をすると、再び「うおぉぉ――!!」と叫びながら暴れ出した。

完全に無視された高木は、思わず苦笑いした。

「あの……僕、この格好する意味あります？　ねぇ～！　お～～～い!!」

高木の叫びが、本堂の中にむなしく響いた。

【おわり】

★小学館ジュニア文庫★ ワクワク、ドキドキがいっぱいのラインナップ

〈大人気！「名探偵コナン」シリーズ〉

名探偵コナン　瞳の中の暗殺者
名探偵コナン　天国へのカウントダウン
名探偵コナン　迷宮の十字路
名探偵コナン　銀翼の奇術師
名探偵コナン　水平線上の陰謀
名探偵コナン　探偵たちの鎮魂歌
名探偵コナン　紺碧の棺
名探偵コナン　戦慄の楽譜
名探偵コナン　漆黒の追跡者
名探偵コナン　天空の難破船
名探偵コナン　沈黙の15分
名探偵コナン　11人目のストライカー
名探偵コナン　絶海の探偵

名探偵コナン　異次元の狙撃手

名探偵コナン　業火の向日葵
名探偵コナン　純黒の悪夢
名探偵コナン　から紅の恋歌
名探偵コナン　ゼロの執行人
名探偵コナン　紺青の拳
名探偵コナン　緋色の弾丸
名探偵コナン　ハロウィンの花嫁

ルパン三世VS名探偵コナン　THE MOVIE
名探偵コナン　江戸川コナン失踪事件 史上最悪の二日間
名探偵コナン　コナンと海老蔵 歌舞伎十八番ミステリー
名探偵コナン　エピソード"ONE" 小さくなった名探偵
名探偵コナン　紅の修学旅行

名探偵コナン　大怪獣ゴメラVS仮面ヤイバー

名探偵コナン　ブラックインパクト！ 組織の手が届く瞬間

小説 名探偵コナン　CASE1～4

名探偵コナン　安室透セレクション ゼロの推理劇

名探偵コナン　怪盗キッドセレクション 月下の予告状

名探偵コナン　京極真セレクション 蹴撃の事件録

名探偵コナン　赤井秀一セレクション 赤と黒の攻防

名探偵コナン　赤井一家セレクション 緋色の推理記録

名探偵コナン　世良真純セレクション 異国帰りの転校生

名探偵コナン　赤井秀一緋色の回顧録セレクション 狙撃手の極秘任務

名探偵コナン　黒ずくめの組織セレクション 黒の策略

名探偵コナン　警察セレクション 命がけの刑事たち

まじっく快斗1412　全6巻

次はどれにする？　おもしろくて楽しい新刊が、続々登場!!

★小学館ジュニア文庫★ ワクワク、ドキドキがいっぱいのラインナップ

〈ジュニア文庫でしか読めないおはなし！〉

愛情融資店まごころ 全3巻
アイドル誕生！～こんなわたしがAKB48に!?～
アズサくんには注目しないでください！

あの日、そらですきをみつけた
いじめ 14歳のMessage
1話3分 こわい家、あります。 くらやみくんのブラックリスト
1話3分 こわい家、あります。 くらやみくんのブラックリスト 2
1話3分 こわい家、あります。 くらやみくんのブラックリスト 3

おいでよ、花まる寮！
お悩み解決！ ズバッと同盟 全2巻
緒崎さん家の妖怪事件簿 全4巻

彼方からのジュエリーナイト！

華麗なる探偵アリス&ペンギン
華麗なる探偵アリス&ペンギン ワンダー・チェンジ！
華麗なる探偵アリス&ペンギン ミラー・ラビリンス
華麗なる探偵アリス&ペンギン サマー・トレジャー
華麗なる探偵アリス&ペンギン トラブル・ハロウィン
華麗なる探偵アリス&ペンギン ペンギン・パニック！
華麗なる探偵アリス&ペンギン ミステリアス・ナイト
華麗なる探偵アリス&ペンギン アリスVS.ホームズ！
華麗なる探偵アリス&ペンギン アラビアン・デート
華麗なる探偵アリス&ペンギン パーティ・パーティ
華麗なる探偵アリス&ペンギン ホームズ・イン・ジャパン
華麗なる探偵アリス&ペンギン ウィッチ・ハント！
華麗なる探偵アリス&ペンギン ファンシー・ファンタジー
華麗なる探偵アリス&ペンギン リトル・リドル・アリス
華麗なる探偵アリス&ペンギン ゴースト・キャッスル
華麗なる探偵アリス&ペンギン ウエルカム・ミラーランド
華麗なる探偵アリス&ペンギン ウィッシュ・オン・ザ・スターズ

華麗なる探偵アリス&ペンギン ダンシング・グルメ
ギルティゲーム 全6巻
銀色☆フェアリーテイル 全3巻
きんかつ！ 全2巻
ぐらん×ぐらんぱ！ スマホジャック 全2巻
ここはエンゲキ特区！
さくら×ドロップ レシピ1：チーズハンバーグ
ちえり×ドロップ レシピ1：マカロニグラタン
みさと×ドロップ レシピ1：チェリーパイ
さよなら、かぐや姫～月とわたしの物語～
12歳の約束
女優猫あなご
白魔女リンと3悪魔 全10巻
世界の中心で、愛をさけぶ
絶滅クラス！～暴走列車から脱出しろ！～

ぜんぶ、藍色だった。
そんなに仲良くない小学生4人は
謎の島を脱出できるのか!?
探偵ハイネは予言をはずさない

転校生 ポチ崎ポチ夫
天才発明家ニコ&キャット 全2巻
TOKYOオリンピック はじめて物語
謎解きはディナーのあとで 全3巻
猫占い師とこはくのタロット

のぞみ、出発進行!!

はろー！ マイベイビー
はろー！ マイベイビー2

パティシエ志望だったのに、シンデレラの
いじわるな姉に生まれ変わってしまいました！
大熊猫ベーカリー パンダと私の内気なクリームパン！
大熊猫ベーカリー ひみつのレシピ盗まれた
姫さまですよねっ!? 姫さまVS.暴君殿さまVS.忍者 大坂城は大さわぎ！

ホルンペッター
ぼくたちと駐在さんの700日戦争 ベスト版 闘争の巻
ミラクルへんてこ小学生 ポチ崎ポチ夫
メチャ盛りユーチューバーアイドルいおん☆
メデタシエンド。 全2巻

ゆめ☆かわ ここあのコスメボックス 全6巻
夢は牛のお医者さん
4分の1の魔女リアと真夜中の魔法クラス まさかの魔法使いデビュー！
4分の1の魔女リアと真夜中の魔法クラス ひとりぼっちの魔法バトル！
リアル鬼ごっこ リプレイ
リアル鬼ごっこ セブンルールズ

レベル1で異世界召喚されたオレだけど、
攻略本は読みこんでます。
レベル1で異世界召喚されたオレだけど、
なぜか新米魔王やってます
わたしのこと、好きになってください。

★小学館ジュニア文庫★ ワクワク、ドキドキがいっぱいのラインナップ

〈みんな読んでる「ドラえもん」シリーズ〉

小説 映画ドラえもん のび太の宝島

小説 映画ドラえもん のび太の月面探査記

小説 映画ドラえもん のび太の新恐竜

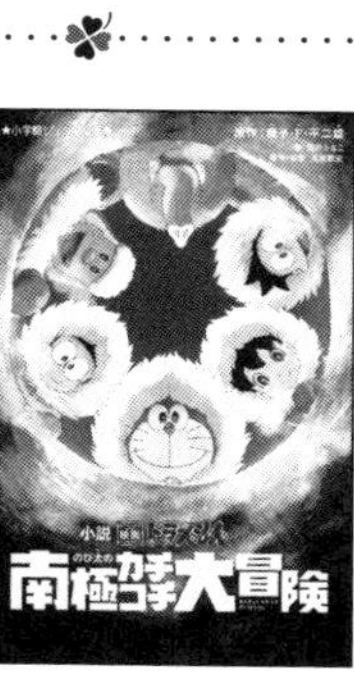

小説 映画ドラえもん のび太の南極カチコチ大冒険

小説 映画ドラえもん のび太の宇宙英雄記

小説 映画ドラえもん のび太の宇宙小戦争 2021

小説 STAND BY ME ドラえもん

小説 STAND BY ME ドラえもん 2

ドラえもん 5分でドラ語り ことわざひみつ話

ドラえもん 5分でドラ語り 四字熟語ひみつ話

ドラえもん 5分でドラ語り 故事成語ひみつ話

★「小学館ジュニア文庫」を読んでいるみなさんへ★

この本の背にあるクローバーのマークに気がつきましたか？

オレンジ、緑、青、赤に彩られた四つ葉のクローバー。これは、小学館ジュニア文庫のマークです。そして、それぞれの葉の色には、私たちがジュニア文庫を刊行していく上で、みなさんに伝えていきたいこと、私たちの大切な思いがこめられています。

オレンジは愛。家族、友達、恋人。みなさんの大切な人たちを思う気持ち。まるでオレンジ色の太陽の日差しのように心を暖かにする、人を愛する気持ち。

緑はやさしさ。困っている人や立場の弱い人、小さな動物の命に手をさしのべるやさしさ。緑の森は、多くの木々や花々、そこに生きる動物をやさしく包み込みます。

青は想像力。芸術や新しいものを生み出していく力。立場や考え方、国籍、自分とは違う人たちの気持ちを思い、協力しあうことも想像の力です。人間の想像力は無限の広がりを持っています。まるで、どこまでも続く、澄みきった青い空のようです。

赤は勇気。強いものに立ち向かい、間違ったことをただす気持ち。くじけそうな自分の弱い気持ちに立ち向かうことも大きな勇気です。まさにそれは、赤い炎のように熱く燃え上がる心。

四つ葉のクローバーは幸せの象徴です。愛、やさしさ、想像力、勇気は、みなさんが未来を切りひらき、幸せで豊かな人生を送るためにすべて必要なものです。

体を成長させていくために、栄養のある食べ物が必要なように、心を育てていくためには読書がかかせません。みなさんの心を豊かにしていく本を一冊でも多く出したい。それが私たちジュニア文庫編集部の願いです。

みなさんのこれからの人生には、困ったこと、悲しいこと、自分の思うようにいかないことも待ち受けているかもしれません。どうか「本」を大切な友達にしてください。どんな時でも「本」はあなたの味方です。そして困難に打ち勝つヒントをたくさん与えてくれるでしょう。みなさんが「本」を通じ素敵な大人になり、幸せで実り多い人生を歩むことを心より願っています。

★小学館ジュニア文庫★
名探偵コナン ハロウィンの花嫁

2022年 4 月20日 初版第１刷発行

著者／水稀しま
原作／青山剛昌
脚本／大倉崇裕

発行人／吉田憲生
編集人／今村愛子
編集／伊藤 澄

発行所／株式会社 小学館
〒101-8001 東京都千代田区一ツ橋２－３－１
電話／編集 03-3230-5105
販売 03-5281-3555

印刷・製本／中央精版印刷株式会社

口絵構成／内野智子
カバーデザイン／石沢将人＋ベイブリッジ・スタジオ

Printed in Japan ISBN 978-4-09-231411-5